CW00927535

Printed in the USA

Swedish Language:

101 Swedish Verbs

BY TORBJÖRN HANSEN

Contents

Introduction to Swedish Verbs   1

To accept – att acceptera   8

To admit – att erkänna   9

To answer – att svara   10

To appear – att verka   11

To ask – att fråga   12

To be – att vara   13

To be able to – att kunna   14

To become – att bli   15

To begin – att börja   16

To break – att bryta   17

To breathe – att andas   18

To buy – att köpa   19

To call – att ringa   20

To can - att kunna   21

To choose – att välja   22

To close – att stänga   23

To come – att komma   24

To cook – att laga mat   25

To cry – att gråta   26

To dance – att dansa   27

To decide – att bestämma   28

To decrease – att minska   29

To die – att dö   30

To do – att göra   31

To drink – att dricka   32

To drive – att köra 33

To eat – att äta 34

To enter – att gå in 35

To exit – att gå ut 36

To explain – att förklara 37

To fall – att falla 38

To feel – att känna 39

To fight – att slåss 40

To find – att hitta 41

To finish – att slutföra 42

To fly – att flyga 43

To forget – att glömma 44

To get up – att stiga upp 45

To give – att ge 46

To go – att gå 47

To happen – att hända 48

To have – att ha 49

To hear – att höra 50

To help – att hjälpa 51

To hold – att hålla 52

To increase – att öka 53

To introduce – att introducera 54

To invite – att bjuda in 55

To kill – att döda 56

To kiss – att kyssa 57

To know – att veta 58

To laugh – att skratta 59

To learn – att lära 60

To lie down – att lägga sig ner 61

To like – att gilla   62

To listen – att lyssna   63

To live – att leva   64

To lose – att förlora   65

To love – att älska   66

To meet – att möta   67

To need – att behöva   68

To notice – att lägga märke till   69

To open – att öppna   70

To play – att spela   71

To put – att sätta   72

To read - att läsa   73

To receive – att mottaga   74

To remember – att komma ihåg   75

To repeat – att repetera   76

To return – att återvända   77

To run – att springa   78

To say – att säga   79

To scream – att skrika   80

To see – att se   81

To seem – att verka   82

To sell – att sälja   83

To send – att skicka   84

To show – att visa   85

To sing – att sjunga   86

To sit down – att sätta sig ner   87

To sleep – att sova   88

To smile – att le   89

To speak – att prata   90

To stand – att stå 91

To start – att börja 92

To stay - att stanna 93

To take – att ta 94

To talk – att tala 95

To teach – att lära ut 96

To think – att tänka 97

To touch – att röra vid 98

To travel – att resa 99

To understand – att förstå 100

To use – att använda 101

To wait – att vänta 102

To walk – att gå 103

To want – att vilja 104

To watch – att titta 105

To win – att vinna 106

To work – att arbeta 107

To write – att skriva 108

Verbs

Verbs constitute a category of words that are used to describe an action, state, or occurrence.

Functionally, the verb expresses the action (do, swimming) or condition (being sorry, being happy) of the subject of the sentence.

Verbs are easy to recognize: in Swedish they are simply words you can put "att" ("to") in front of, in their infinitive form. You will learn what the infinitive form is a few paragraphs down.

One striking feature of Swedish grammar is that in comparison to other languages Swedish verb conjugation is simple in one particular aspect. In a given tense (present, past, future, etc.), all the different pronouns carry the same conjugation. This comes as a surprise to many, and greatly simplifies the structure and learning of Swedish verbs. For example, the verb "vara" (be) is conjugated as follows in the present tense:

Jag är – *I am*
Du är – *you are*
Han/hon/den/det är – *he/she/it is*
Vi är – *we are*
Ni är – *you (pl) are*
De är – *They are*

As seen, all the pronouns conjugate in exactly the same fashion.

We will go through the following verb forms:

Present: Talking about something that happens or is done now.
Preteritum and **Supinum:** Talking about the past.
Infinitive: Talking about something not time bound.
Imperative: Giving commandments.
Future: Talking about the future.

Present tense

The present verb tense is used to talk about something that happens now, or somebody doing something now.

Hans och Gert **går** till tandläkaren på Storgatan – *Hans and Gert **go** to the dentist on Storgatan.*
Ana **pratar** flytande svenska – Ana **speaks** fluent Swedish

The present tense is also used to express something that usually happens. The previous dentist sentence means both that Hans and Gert are currently on their way to the dentist on Storgatan, and that they usually go to this particular dentist on Storgatan. In comparison with

English, the Swedish present tense covers both the present continuous and present simple tense.

Hans och Gert **går** till tandläkaren på Storgatan – *Hans and Gert **are going** to the dentist on Storgatan*

This makes the tense less of a struggle to get the hang of.

The most common suffixes of verbs in the present tense are –r, -er and –er. Some also end with -s.

ar	er	r	s
hittar	springer	ror	hoppas
laddar	heter	ser	finns
tittar	säljer	förstår	andas

Preteritum

Preteritum is a verb tense used to describe something in the past. It is specifically used when you want to talk about something that happened at a specific moment in time.

Jag **gick** på bio i går – *Yesterday I **went** to the movies.*
Eva **träffade** Per vid lekplatsen – *Eva **met** Per by the playground*

Verbs in preteritum commonly have the suffix –de, but there are exceptions, especially among irregular verbs like "gå" ("go").

Supinum

Supinum is a verb form used to describe something in the past. It is a little different in comparison with preteritum. Together with the help verb "har", supinum forms the tense perfekt particip:

Jag **har** bara **sett** två pingviner – *I **have** only **seen** two penguins.*
Hon **har tagit bort** sin tatuering med laser – *She **has removed** her tattoo with laser.*

Together with another help verb, "hade", supinum forms the tense pluskvamperfekt. Pluskvamperfekt describes when an event took place **before** another event:

Jag **hade** bara **sett** två pingviner innan jag åkte till Nya Zeeland – *I **had** only **seen** two penguins before I went to New Zealand.*
Hon **hade tagit bort** sin tatuering med laser innan hon träffade sina adoptivföräldrar – *She **had removed** her tattoo with laser before she met her adoptive parents.*

Infinitive tense

The infinitive tense does not tell us anything about time. You could say it is the most metaphysical Swedish verb tense.

Det bästa jag vet är **att krama** Eva – *The best thing I know is **to hug** Eva*
Min kompis Stefan gillar **att sova** mitt på dagen – *My friend Stefan likes **to sleep** in the middle of the day*

Verbs in the infinitive tense often end in an **a**, or in another vowel.

a	Another vowel
tala	se
skrika	få
föda	gå
hitta	dö

Imperative tense

The imperative tense is used to give commandments.

Hämta barnen på dagis klockan fem – ***Pick up** the kids at the kindergarten at five o' clock*
Sluta! – ***Stop** it!*
Var inte så fånig – *Don't **be** ridiculous.*

Future tense

The future tense is self-explanatorily used to talk about the future. There are three different ways to do this in Swedish.

Present together with a future adverb:

Jag **går** till kyrkan på söndag – *I **will go** to church on Sunday.*
Hon **köper** telefonen nästa vecka – *She **will buy** the telephone next week.*

Ska + infinitive. This is used when you want, are planning or deciding to do something:

Min flickvän och jag **ska flytta** till Överkalix – *My girlfriend and I **will move** to Överkalix.*
Lisen **ska studera** agrikultur nästa höst – *Lisen **will study** agriculture next autumn.*

Kommer att + infinitive. This is used when you are talking about future events that you cannot control, like the weather or the occurrence of a planned event.

Det **kommer att vara** sju sorters kakor på festen – *There **will be** seven kinds of cookies at the party.*
Det **kommer att regna** resten av sommaren – *It **will rain** for the remainder of summer.*

When you talk about the future, the preposition **"om"** is used.

De ska flytta till Senegal **om** tre veckor – *They are moving to Senegal **in** three weeks.*
Berta hämtar sina föräldrar på stationen **om** tre timmar – *Berta is picking up her parents at the station **in** three hours.*

Conditional tense

The conditional tense is used to talk about things with conditions (*I could have, should have, would have bought Apple stocks three years ago*).
In Swedish, there are two different forms of the conditional tense:

Konditionalis 1 is used to describe states or actions that under certain conditions could occur now.
Formed by the help verb **"skulle"** together with the main verb in infinitive:

Om jag träffade Ana nu, **skulle** jag **bli** lycklig – *If I met Ana now, I **would become** happy.*

Konditionalis 2 is used to describe states or actions that under certain conditions could have occurred in the past.
Formed by the help verb **"skulle ha"** together with the main verb in supinum:

Om jag hade varit bättre på fysik, **skulle** jag **ha** utbildat mig till astronaut – *If I had been better in physics, I would have educated myself to become an astronaut.*

"Vore" is a conjunctive verb form. It is beautiful, but considered somewhat archaic and is modernized by using the form **"var"** instead.

Om jag **vore** ung, skulle jag lära mig spela gitarr – *If I were young, I would have learnt how to play the guitar*
Om jag **var** ung, skulle jag lära mig spela gitarr – *If I were young, I would have learnt how to play the guitar*

Verb Groups

The verbs can be divided into four different groups: three "weak" groups (1-3), where the preteritum form has a suffix ending in -**e**, and one "strong" group (4) without preteritum suffix. There are also irregular verbs.

Group	Imperative	Present	Preteritum	Supinum	Infinitive	English
1	Spara	sparar	Sparade	Sparat	Spara	Save
2	Häng	Hänger	Hängde	Hängt	Hänga	Hang
3	Tro	Tror	Trodde	Trott	Tro	Believe
4	Skriv	Skriver	Skrev	Skrivit	Skriva	Write

The imperative form ends in a vowel in group 1 and group 3. In group 1 it is always **a** and in group three always something else than **a**. The present suffix is then **–r.**

The imperative form ends on a consonant in groups 2 and four. The present suffix is then **–er.**

The supinum form always ends in **–t.**

The infinitive form ends in -a in all groups except for group three.

If you know the imperative and preterium forms of a regular verb you can make all other forms of the verb. You can also form its corresponding adjective.

Group 1

Imperative					E.g. spara
Imperative	+	r	=	present	E.g. sparar
Imperative	+	de	=	preteritum	E.g. sparade
Imperative	+	t	=	supinum	E.g. sparat
Imperative				infinitive	E.g. spara

Most Swedish verbs belong in this group.

The imperative tense always ends in **a**. The infinitive is the same. There is an **a** before the suffix in all other forms.

When speaking, you do not necessarily pronounce the suffixes in the preteritum and supinum forms, but you always have to write them.

Group 2

Imperative					E.g. häng
Imperative	+	er	=	present	E.g. hänger
Imperative	+	de/te	=	preteritum	E.g. hängde
Imperative	+	t	=	supinum	E.g. hängt
Imperative	+	a		infinitive	E.g. hänga

Presens = imperative if the imperative form ends in a **long vowel + r or l.**

If the imperative form has a short vowel and ends in **d** or **t** this letter is cut off before the suffix in the preteritum and supinum forms.

If the imperative form has a long vowel and ends in **d** the suffix **–dde** is added for the preteritum form, and the suffix **–tt** for the supinum form. The vowel becomes short.

Never in Swedish are **m/n** double before a consonant. Thus, even though the common pronunciation of a vowel before one **m/n** is normally long, **m/n** with a following consonant makes this vowel short.

These verbs in the preteritum form have the suffix **–te** if the imperative form ends in a voiceless sound, e.g. **s, k, t, p** or **f.**

Group 3

imperative					E.g. tro
Imperative	+	r	=	present	E.g. tror

Imperative	+	de/te	=	preteritum	E.g. trodde
Imperative	+	tt	=	supinum	E.g. trott
Imperative				infinitive	E.g. tro

The vowel has a short pronunciation in preteritum and supinum

Group 4

Imperative					E.g. skriv
Imperative	+	er	=	present	E.g. skriver
Imperative	+	new vowel	=	preteritum	E.g. skrev
Imperative	+	it (+ new vowel)	=	supinum	E.g. skrivit
Imperative	+	a		infinitive	E.g. skriva

The three forms imperative, present and infinitive have the same vowel in this group. The preteritum form has its own vowel.

Supinum has either its own vowel or the same vowel as the imperative, present and infinitive forms.

Verbs in this group that have a long **i** in the infinitive, present and imperative forms get a long **e** in the preteritum form and a long **i** in the supinum form.

Verbs in this group with a short **i** in the infinitive, present and imperative forms get a short **u** in the supinum form.

Verbs in this group with a short **j + long u** in the infinitive, present and imperative forms get a long **u** in the supinum form and a long **ö** in the preteritum form.

Verbs in this group with a long **y** in the infinitive, present and imperative get a long **u** in the supinum form and a long **ö** in the preteritum form.

Verbs in this group with a short **u** in the infinitive, present and imperative forms get a short **u** in the supinum form and a short **ö** in the preteritum form.

If the suffix in the imperative form is a **long vowel + r** or **l**, then the present form is the same as the imperative form.

Some verbs in this group can also have different vowels than the ones listen above (e.g. far, fall, gråt, låt, skär).

Irregular verbs

Some Swedish verbs are irregular. Many of them are common verbs. Here is a list of some of the most useful ones:

English infinitive	Imperative	Infinitive	Present	Preteritum	Supinum
continue	fortsätt	fortsätta	fortsätter	fortsatte	fortsatt
get	få	få	får	fick	fått
understand	förstå	förstå	förstår	förstod	förstått
give	ge	ge	ger	gav	gett/givit
Go	gå	gå	går	gick	gått
Do	gör	göra	gör	gjorde	gjort
have	ha	ha	har	hade	haft
to be called	-	heta	heter	hette	hetat
come	kom	komma	kommer	kom	kommit
to be able to	-	kunna	kan	kunde	kunnat
live	lev	leva	lever	levde	levt
Lie	ligg	ligga	ligger	låg	legat
must	-	-	måste	var tvungen	varit tvungen
see	se	se	ser	såg	sett
will	-	-	ska	skulle	-
sleep	sov	sova	sover	sov	sovit
steal	stjäl	stjäla	stjäl	stal	stulit
stand	stå	stå	står	stod	stått
say	säg	säga	säger	sa	sagt
sell	sälj	sälja	säljer	sålde	sålt
put	sätt	sätta	sätter	satte	satt
take	ta	ta	tar	tog	tagit
Be	var	vara	är	var	varit
know	-	veta	vet	visste	vetat
fold	vik	vika	viker	vek	vikt
want	-	vilja	vill	ville	velat
choose	välj	välja	väljer	valde	valt

To accept – att acceptera

Present		Preteritum		Perfekt	
Jag	Accepterar	Jag	Accepterade	Jag	Har accepterat
Du	Accepterar	Du	Accepterade	Du	Har accepterat
Han (m)	Accepterar	Han (m)	Accepterade	Han (m)	Har accepterat
Hon (f)	Accepterar	Hon (f)	Accepterade	Hon (f)	Har accepterat
Den/det (n)	Accepterar	Den/det (n)	Accepterade	Den/det (n)	Har accepterat
Vi	Accepterar	Vi	Accepterade	Vi	Har accepterat
Ni	Accepterar	Ni	Accepterade	Ni	Har accepterat
De	Accepterar	De	Accepterade	De	Har accepterat

Pluskvamperfekt		Futurum 1		Futurum 2	
Jag	Hade accepterat	Jag	Ska acceptera	Jag	Kommer att acceptera
Du	Hade accepterat	Du	Ska acceptera	Du	Kommer att acceptera
Han (m)	Hade accepterat	Han (m)	Ska acceptera	Han (m)	Kommer att acceptera
Hon (f)	Hade accepterat	Hon (f)	Ska acceptera	Hon (f)	Kommer att acceptera
Den/det (n)	Hade accepterat	Den/det (n)	Ska acceptera	Den/det (n)	Kommer att acceptera
Vi	Hade accepterat	Vi	Ska acceptera	Vi	Kommer att acceptera
Ni	Hade accepterat	Ni	Ska acceptera	Ni	Kommer att acceptera
De	Hade accepterat	De	Ska acceptera	De	Kommer att acceptera

VERB MOODS					
Conditional 1		Conditional 2		Imperative	
Jag	Skulle acceptera	Jag	Skulle ha accepterat	Jag	Acceptera
Du	Skulle acceptera	Du	Skulle ha accepterat	Du	Acceptera
Han (m)	Skulle acceptera	Han (m)	Skulle ha accepterat	Han (m)	Acceptera
Hon (f)	Skulle acceptera	Hon (f)	Skulle ha accepterat	Hon (f)	Acceptera
Den/det (n)	Skulle acceptera	Den/det (n)	Skulle ha accepterat	Den/det (n)	Acceptera
Vi	Skulle acceptera	Vi	Skulle ha accepterat	Vi	Acceptera
Ni	Skulle acceptera	Ni	Skulle ha accepterat	Ni	Acceptera
De	Skulle acceptera	De	Skulle ha accepterat	De	Acceptera

To admit – att erkänna

Present		Preteritum		Perfekt	
Jag	Erkänner	Jag	Erkände	Jag	Har erkänt
Du	Erkänner	Du	Erkände	Du	Har erkänt
Han (m)	Erkänner	Han (m)	Erkände	Han (m)	Har erkänt
Hon (f)	Erkänner	Hon (f)	Erkände	Hon (f)	Har erkänt
Den/det (n)	Erkänner	Den/det (n)	Erkände	Den/det (n)	Har erkänt
Vi	Erkänner	Vi	Erkände	Vi	Har erkänt
Ni	Erkänner	Ni	Erkände	Ni	Har erkänt
De	Erkänner	De	Erkände	De	Har erkänt

Pluskvamperfekt		Futurum 1		Futurum 2	
Jag	Hade erkänt	Jag	Ska erkänna	Jag	Kommer att erkänna
Du	Hade erkänt	Du	Ska erkänna	Du	Kommer att erkänna
Han (m)	Hade erkänt	Han (m)	Ska erkänna	Han (m)	Kommer att erkänna
Hon (f)	Hade erkänt	Hon (f)	Ska erkänna	Hon (f)	Kommer att erkänna
Den/det (n)	Hade erkänt	Den/det (n)	Ska erkänna	Den/det (n)	Kommer att erkänna
Vi	Hade erkänt	Vi	Ska erkänna	Vi	Kommer att erkänna
Ni	Hade erkänt	Ni	Ska erkänna	Ni	Kommer att erkänna
De	Hade erkänt	De	Ska erkänna	De	Kommer att erkänna

VERB MOODS					
Conditional 1		Conditional 2		Imperative	
Jag	Skulle erkänna	Jag	Skulle ha erkänt	Jag	Erkänn
Du	Skulle erkänna	Du	Skulle ha erkänt	Du	Erkänn
Han (m)	Skulle erkänna	Han (m)	Skulle ha erkänt	Han (m)	Erkänn
Hon (f)	Skulle erkänna	Hon (f)	Skulle ha erkänt	Hon (f)	Erkänn
Den/det (n)	Skulle erkänna	Den/det (n)	Skulle ha erkänt	Den/det (n)	Erkänn
Vi	Skulle erkänna	Vi	Skulle ha erkänt	Vi	Erkänn
Ni	Skulle erkänna	Ni	Skulle ha erkänt	Ni	Erkänn
De	Skulle erkänna	De	Skulle ha erkänt	De	Erkänn

To answer – att svara

Present		Preteritum		Perfekt	
Jag	Svarar	Jag	Svarade	Jag	Har svarat
Du	Svarar	Du	Svarade	Du	Har svarat
Han (m)	Svarar	Han (m)	Svarade	Han (m)	Har svarat
Hon (f)	Svarar	Hon (f)	Svarade	Hon (f)	Har svarat
Den/det (n)	Svarar	Den/det (n)	Svarade	Den/det (n)	Har svarat
Vi	Svarar	Vi	Svarade	Vi	Har svarat
Ni	Svarar	Ni	Svarade	Ni	Har svarat
De	Svarar	De	Svarade	De	Har svarat

Pluskvamperfekt		Futurum 1		Futurum 2	
Jag	Hade svarat	Jag	Ska svara	Jag	Kommer att svara
Du	Hade svarat	Du	Ska svara	Du	Kommer att svara
Han (m)	Hade svarat	Han (m)	Ska svara	Han (m)	Kommer att svara
Hon (f)	Hade svarat	Hon (f)	Ska svara	Hon (f)	Kommer att svara
Den/det (n)	Hade svarat	Den/det (n)	Ska svara	Den/det (n)	Kommer att svara
Vi	Hade svarat	Vi	Ska svara	Vi	Kommer att svara
Ni	Hade svarat	Ni	Ska svara	Ni	Kommer att svara
De	Hade svarat	De	Ska svara	De	Kommer att svara

VERB MOODS					
Conditional 1		Conditional 2		Imperative	
Jag	Skulle svara	Jag	Skulle ha svarat	Jag	Svara
Du	Skulle svara	Du	Skulle ha svarat	Du	Svara
Han (m)	Skulle svara	Han (m)	Skulle ha svarat	Han (m)	Svara
Hon (f)	Skulle svara	Hon (f)	Skulle ha svarat	Hon (f)	Svara
Den/det (n)	Skulle svara	Den/det (n)	Skulle ha svarat	Den/det (n)	Svara
Vi	Skulle svara	Vi	Skulle ha svarat	Vi	Svara
Ni	Skulle svara	Ni	Skulle ha svarat	Ni	Svara
De	Skulle svara	De	Skulle ha svarat	De	Svara

To appear – att verka

Present		Preteritum		Perfekt	
Jag	Verkar	Jag	Verkade	Jag	Har verkat
Du	Verkar	Du	Verkade	Du	Har verkat
Han (m)	Verkar	Han (m)	Verkade	Han (m)	Har verkat
Hon (f)	Verkar	Hon (f)	Verkade	Hon (f)	Har verkat
Den/det (n)	Verkar	Den/det (n)	Verkade	Den/det (n)	Har verkat
Vi	Verkar	Vi	Verkade	Vi	Har verkat
Ni	Verkar	Ni	Verkade	Ni	Har verkat
De	Verkar	De	Verkade	De	Har verkat

Pluskvamperfekt		Futurum 1		Futurum 2	
Jag	Hade verkat	Jag	Ska verka	Jag	Kommer att verka
Du	Hade verkat	Du	Ska verka	Du	Kommer att verka
Han (m)	Hade verkat	Han (m)	Ska verka	Han (m)	Kommer att verka
Hon (f)	Hade verkat	Hon (f)	Ska verka	Hon (f)	Kommer att verka
Den/det (n)	Hade verkat	Den/det (n)	Ska verka	Den/det (n)	Kommer att verka
Vi	Hade verkat	Vi	Ska verka	Vi	Kommer att verka
Ni	Hade verkat	Ni	Ska verka	Ni	Kommer att verka
De	Hade verkat	De	Ska verka	De	Kommer att verka

VERB MOODS					
Conditional 1		Conditional 2		Imperative	
Jag	Skulle verka	Jag	Skulle ha verkat	Jag	Verka
Du	Skulle verka	Du	Skulle ha verkat	Du	Verka
Han (m)	Skulle verka	Han (m)	Skulle ha verkat	Han (m)	Verka
Hon (f)	Skulle verka	Hon (f)	Skulle ha verkat	Hon (f)	Verka
Den/det (n)	Skulle verka	Den/det (n)	Skulle ha verkat	Den/det (n)	Verka
Vi	Skulle verka	Vi	Skulle ha verkat	Vi	Verka
Ni	Skulle verka	Ni	Skulle ha verkat	Ni	Verka
De	Skulle verka	De	Skulle ha verkat	De	Verka

To ask – att fråga

Present		Preteritum		Perfekt	
Jag	Frågar	Jag	Frågade	Jag	Har frågat
Du	Frågar	Du	Frågade	Du	Har frågat
Han (m)	Frågar	Han (m)	Frågade	Han (m)	Har frågat
Hon (f)	Frågar	Hon (f)	Frågade	Hon (f)	Har frågat
Den/det (n)	Frågar	Den/det (n)	Frågade	Den/det (n)	Har frågat
Vi	Frågar	Vi	Frågade	Vi	Har frågat
Ni	Frågar	Ni	Frågade	Ni	Har frågat
De	Frågar	De	Frågade	De	Har frågat

Pluskvamperfekt		Futurum 1		Futurum 2	
Jag	Hade frågat	Jag	Ska fråga	Jag	Kommer att fråga
Du	Hade frågat	Du	Ska fråga	Du	Kommer att fråga
Han (m)	Hade frågat	Han (m)	Ska fråga	Han (m)	Kommer att fråga
Hon (f)	Hade frågat	Hon (f)	Ska fråga	Hon (f)	Kommer att fråga
Den/det (n)	Hade frågat	Den/det (n)	Ska fråga	Den/det (n)	Kommer att fråga
Vi	Hade frågat	Vi	Ska fråga	Vi	Kommer att fråga
Ni	Hade frågat	Ni	Ska fråga	Ni	Kommer att fråga
De	Hade frågat	De	Ska fråga	De	Kommer att fråga

VERB MOODS					
Conditional 1		Conditional 2		Imperative	
Jag	Skulle fråga	Jag	Skulle ha frågat	Jag	Fråga
Du	Skulle fråga	Du	Skulle ha frågat	Du	Fråga
Han (m)	Skulle fråga	Han (m)	Skulle ha frågat	Han (m)	Fråga
Hon (f)	Skulle fråga	Hon (f)	Skulle ha frågat	Hon (f)	Fråga
Den/det (n)	Skulle fråga	Den/det (n)	Skulle ha frågat	Den/det (n)	Fråga
Vi	Skulle fråga	Vi	Skulle ha frågat	Vi	Fråga
Ni	Skulle fråga	Ni	Skulle ha frågat	Ni	Fråga
De	Skulle fråga	De	Skulle ha frågat	De	Fråga

To be – att vara

Present		Preteritum		Perfekt	
Jag	Är	Jag	Var	Jag	Har varit
Du	Är	Du	Var	Du	Har varit
Han (m)	Är	Han (m)	Var	Han (m)	Har varit
Hon (f)	Är	Hon (f)	Var	Hon (f)	Har varit
Den/det (n)	Är	Den/det (n)	Var	Den/det (n)	Har varit
Vi	Är	Vi	Var	Vi	Har varit
Ni	Är	Ni	Var	Ni	Har varit
De	Är	De	Var	De	Har varit

Pluskvamperfekt		Futurum 1		Futurum 2	
Jag	Hade varit	Jag	Ska vara	Jag	Kommer att vara
Du	Hade varit	Du	Ska vara	Du	Kommer att vara
Han (m)	Hade varit	Han (m)	Ska vara	Han (m)	Kommer att vara
Hon (f)	Hade varit	Hon (f)	Ska vara	Hon (f)	Kommer att vara
Den/det (n)	Hade varit	Den/det (n)	Ska vara	Den/det (n)	Kommer att vara
Vi	Hade varit	Vi	Ska vara	Vi	Kommer att vara
Ni	Hade varit	Ni	Ska vara	Ni	Kommer att vara
De	Hade varit	De	Ska vara	De	Kommer att vara

VERB MOODS

Conditional 1		Conditional 2		Imperative	
Jag	Skulle vara	Jag	Skulle ha varit	Jag	Var
Du	Skulle vara	Du	Skulle ha varit	Du	Var
Han (m)	Skulle vara	Han (m)	Skulle ha varit	Han (m)	Var
Hon (f)	Skulle vara	Hon (f)	Skulle ha varit	Hon (f)	Var
Den/det (n)	Skulle vara	Den/det (n)	Skulle ha varit	Den/det (n)	Var
Vi	Skulle vara	Vi	Skulle ha varit	Vi	Var
Ni	Skulle vara	Ni	Skulle ha varit	Ni	Var
De	Skulle vara	De	Skulle ha varit	De	Var

To be able to – att kunna

Present		Preteritum		Perfekt	
Jag	Kan	Jag	Kunde	Jag	Har kunnat
Du	Kan	Du	Kunde	Du	Har kunnat
Han (m)	Kan	Han (m)	Kunde	Han (m)	Har kunnat
Hon (f)	Kan	Hon (f)	Kunde	Hon (f)	Har kunnat
Den/det (n)	Kan	Den/det (n)	Kunde	Den/det (n)	Har kunnat
Vi	Kan	Vi	Kunde	Vi	Har kunnat
Ni	Kan	Ni	Kunde	Ni	Har kunnat
De	Kan	De	Kunde	De	Har kunnat

Pluskvamperfekt		Futurum 1		Futurum 2	
Jag	Hade kunnat	Jag	Ska kunna	Jag	Kommer att kunna
Du	Hade kunnat	Du	Ska kunna	Du	Kommer att kunna
Han (m)	Hade kunnat	Han (m)	Ska kunna	Han (m)	Kommer att kunna
Hon (f)	Hade kunnat	Hon (f)	Ska kunna	Hon (f)	Kommer att kunna
Den/det (n)	Hade kunnat	Den/det (n)	Ska kunna	Den/det (n)	Kommer att kunna
Vi	Hade kunnat	Vi	Ska kunna	Vi	Kommer att kunna
Ni	Hade kunnat	Ni	Ska kunna	Ni	Kommer att kunna
De	Hade kunnat	De	Ska kunna	De	Kommer att kunna

VERB MOODS					
Conditional 1		Conditional 2		Imperative	
Jag	Skulle kunna	Jag	Skulle ha kunnat	Jag	
Du	Skulle kunna	Du	Skulle ha kunnat	Du	
Han (m)	Skulle kunna	Han (m)	Skulle ha kunnat	Han (m)	
Hon (f)	Skulle kunna	Hon (f)	Skulle ha kunnat	Hon (f)	
Den/det (n)	Skulle kunna	Den/det (n)	Skulle ha kunnat	Den/det (n)	
Vi	Skulle kunna	Vi	Skulle ha kunnat	Vi	
Ni	Skulle kunna	Ni	Skulle ha kunnat	Ni	
De	Skulle kunna	De	Skulle ha kunnat	De	

To become – att bli

Present		Preteritum		Perfekt	
Jag	Blir	Jag	Blev	Jag	Har blivit
Du	Blir	Du	Blev	Du	Har blivit
Han (m)	Blir	Han (m)	Blev	Han (m)	Har blivit
Hon (f)	Blir	Hon (f)	Blev	Hon (f)	Har blivit
Den/det (n)	Blir	Den/det (n)	Blev	Den/det (n)	Har blivit
Vi	Blir	Vi	Blev	Vi	Har blivit
Ni	Blir	Ni	Blev	Ni	Har blivit
De	Blir	De	Blev	De	Har blivit

Pluskvamperfekt		Futurum 1		Futurum 2	
Jag	Hade blivit	Jag	Ska bli	Jag	Kommer att bli
Du	Hade blivit	Du	Ska bli	Du	Kommer att bli
Han (m)	Hade blivit	Han (m)	Ska bli	Han (m)	Kommer att bli
Hon (f)	Hade blivit	Hon (f)	Ska bli	Hon (f)	Kommer att bli
Den/det (n)	Hade blivit	Den/det (n)	Ska bli	Den/det (n)	Kommer att bli
Vi	Hade blivit	Vi	Ska bli	Vi	Kommer att bli
Ni	Hade blivit	Ni	Ska bli	Ni	Kommer att bli
De	Hade blivit	De	Ska bli	De	Kommer att bli

VERB MOODS					
Conditional 1		Conditional 2		Imperative	
Jag	Skulle bli	Jag	Skulle ha blivit	Jag	Bli
Du	Skulle bli	Du	Skulle ha blivit	Du	Bli
Han (m)	Skulle bli	Han (m)	Skulle ha blivit	Han (m)	Bli
Hon (f)	Skulle bli	Hon (f)	Skulle ha blivit	Hon (f)	Bli
Den/det (n)	Skulle bli	Den/det (n)	Skulle ha blivit	Den/det (n)	Bli
Vi	Skulle bli	Vi	Skulle ha blivit	Vi	Bli
Ni	Skulle bli	Ni	Skulle ha blivit	Ni	Bli
De	Skulle bli	De	Skulle ha blivit	De	Bli

To begin – att börja

Present		Preteritum		Perfekt	
Jag	Börjar	Jag	Började	Jag	Har börjat
Du	Börjar	Du	Började	Du	Har börjat
Han (m)	Börjar	Han (m)	Började	Han (m)	Har börjat
Hon (f)	Börjar	Hon (f)	Började	Hon (f)	Har börjat
Den/det (n)	Börjar	Den/det (n)	Började	Den/det (n)	Har börjat
Vi	Börjar	Vi	Började	Vi	Har börjat
Ni	Börjar	Ni	Började	Ni	Har börjat
De	Börjar	De	Började	De	Har börjat

Pluskvamperfekt		Futurum 1		Futurum 2	
Jag	Hade börjat	Jag	Ska börja	Jag	Kommer att börja
Du	Hade börjat	Du	Ska börja	Du	Kommer att börja
Han (m)	Hade börjat	Han (m)	Ska börja	Han (m)	Kommer att börja
Hon (f)	Hade börjat	Hon (f)	Ska börja	Hon (f)	Kommer att börja
Den/det (n)	Hade börjat	Den/det (n)	Ska börja	Den/det (n)	Kommer att börja
Vi	Hade börjat	Vi	Ska börja	Vi	Kommer att börja
Ni	Hade börjat	Ni	Ska börja	Ni	Kommer att börja
De	Hade börjat	De	Ska börja	De	Kommer att börja

VERB MOODS

Conditional 1		Conditional 2		Imperative	
Jag	Skulle börja	Jag	Skulle ha börjat	Jag	Börja
Du	Skulle börja	Du	Skulle ha börjat	Du	Börja
Han (m)	Skulle börja	Han (m)	Skulle ha börjat	Han (m)	Börja
Hon (f)	Skulle börja	Hon (f)	Skulle ha börjat	Hon (f)	Börja
Den/det (n)	Skulle börja	Den/det (n)	Skulle ha börjat	Den/det (n)	Börja
Vi	Skulle börja	Vi	Skulle ha börjat	Vi	Börja
Ni	Skulle börja	Ni	Skulle ha börjat	Ni	Börja
De	Skulle börja	De	Skulle ha börjat	De	Börja

To break – att bryta

Present		Preteritum		Perfekt	
Jag	Bryter	Jag	Bröt	Jag	Har brutit
Du	Bryter	Du	Bröt	Du	Har brutit
Han (m)	Bryter	Han (m)	Bröt	Han (m)	Har brutit
Hon (f)	Bryter	Hon (f)	Bröt	Hon (f)	Har brutit
Den/det (n)	Bryter	Den/det (n)	Bröt	Den/det (n)	Har brutit
Vi	Bryter	Vi	Bröt	Vi	Har brutit
Ni	Bryter	Ni	Bröt	Ni	Har brutit
De	Bryter	De	Bröt	De	Har brutit

Pluskvamperfekt		Futurum 1		Futurum 2	
Jag	Hade brutit	Jag	Ska bryta	Jag	Kommer att bryta
Du	Hade brutit	Du	Ska bryta	Du	Kommer att bryta
Han (m)	Hade brutit	Han (m)	Ska bryta	Han (m)	Kommer att bryta
Hon (f)	Hade brutit	Hon (f)	Ska bryta	Hon (f)	Kommer att bryta
Den/det (n)	Hade brutit	Den/det (n)	Ska bryta	Den/det (n)	Kommer att bryta
Vi	Hade brutit	Vi	Ska bryta	Vi	Kommer att bryta
Ni	Hade brutit	Ni	Ska bryta	Ni	Kommer att bryta
De	Hade brutit	De	Ska bryta	De	Kommer att bryta

VERB MOODS					
Conditional 1		Conditional 2		Imperative	
Jag	Skulle bryta	Jag	Skulle ha brutit	Jag	Bryt
Du	Skulle bryta	Du	Skulle ha brutit	Du	Bryt
Han (m)	Skulle bryta	Han (m)	Skulle ha brutit	Han (m)	Bryt
Hon (f)	Skulle bryta	Hon (f)	Skulle ha brutit	Hon (f)	Bryt
Den/det (n)	Skulle bryta	Den/det (n)	Skulle ha brutit	Den/det (n)	Bryt
Vi	Skulle bryta	Vi	Skulle ha brutit	Vi	Bryt
Ni	Skulle bryta	Ni	Skulle ha brutit	Ni	Bryt
De	Skulle bryta	De	Skulle ha brutit	De	Bryt

To breathe – att andas

Present		Preteritum		Perfekt	
Jag	Andas	Jag	Andades	Jag	Har andats
Du	Andas	Du	Andades	Du	Har andats
Han (m)	Andas	Han (m)	Andades	Han (m)	Har andats
Hon (f)	Andas	Hon (f)	Andades	Hon (f)	Har andats
Den/det (n)	Andas	Den/det (n)	Andades	Den/det (n)	Har andats
Vi	Andas	Vi	Andades	Vi	Har andats
Ni	Andas	Ni	Andades	Ni	Har andats
De	Andas	De	Andades	De	Har andats

Pluskvamperfekt		Futurum 1		Futurum 2	
Jag	Hade andats	Jag	Ska andas	Jag	Kommer att andas
Du	Hade andats	Du	Ska andas	Du	Kommer att andas
Han (m)	Hade andats	Han (m)	Ska andas	Han (m)	Kommer att andas
Hon (f)	Hade andats	Hon (f)	Ska andas	Hon (f)	Kommer att andas
Den/det (n)	Hade andats	Den/det (n)	Ska andas	Den/det (n)	Kommer att andas
Vi	Hade andats	Vi	Ska andas	Vi	Kommer att andas
Ni	Hade andats	Ni	Ska andas	Ni	Kommer att andas
De	Hade andats	De	Ska andas	De	Kommer att andas

VERB MOODS					
Conditional 1		Conditional 2		Imperative	
Jag	Skulle andas	Jag	Skulle ha andats	Jag	Andas
Du	Skulle andas	Du	Skulle ha andats	Du	Andas
Han (m)	Skulle andas	Han (m)	Skulle ha andats	Han (m)	Andas
Hon (f)	Skulle andas	Hon (f)	Skulle ha andats	Hon (f)	Andas
Den/det (n)	Skulle andas	Den/det (n)	Skulle ha andats	Den/det (n)	Andas
Vi	Skulle andas	Vi	Skulle ha andats	Vi	Andas
Ni	Skulle andas	Ni	Skulle ha andats	Ni	Andas
De	Skulle andas	De	Skulle ha andats	De	Andas

To buy – att köpa

Present		Preteritum		Perfekt	
Jag	Köper	Jag	Köpte	Jag	Har köpt
Du	Köper	Du	Köpte	Du	Har köpt
Han (m)	Köper	Han (m)	Köpte	Han (m)	Har köpt
Hon (f)	Köper	Hon (f)	Köpte	Hon (f)	Har köpt
Den/det (n)	Köper	Den/det (n)	Köpte	Den/det (n)	Har köpt
Vi	Köper	Vi	Köpte	Vi	Har köpt
Ni	Köper	Ni	Köpte	Ni	Har köpt
De	Köper	De	Köpte	De	Har köpt

Pluskvamperfekt		Futurum 1		Futurum 2	
Jag	Hade köpt	Jag	Ska köpa	Jag	Kommer att köpa
Du	Hade köpt	Du	Ska köpa	Du	Kommer att köpa
Han (m)	Hade köpt	Han (m)	Ska köpa	Han (m)	Kommer att köpa
Hon (f)	Hade köpt	Hon (f)	Ska köpa	Hon (f)	Kommer att köpa
Den/det (n)	Hade köpt	Den/det (n)	Ska köpa	Den/det (n)	Kommer att köpa
Vi	Hade köpt	Vi	Ska köpa	Vi	Kommer att köpa
Ni	Hade köpt	Ni	Ska köpa	Ni	Kommer att köpa
De	Hade köpt	De	Ska köpa	De	Kommer att köpa

VERB MOODS					
Conditional 1		Conditional 2		Imperative	
Jag	Skulle köpa	Jag	Skulle ha köpt	Jag	Köp
Du	Skulle köpa	Du	Skulle ha köpt	Du	Köp
Han (m)	Skulle köpa	Han (m)	Skulle ha köpt	Han (m)	Köp
Hon (f)	Skulle köpa	Hon (f)	Skulle ha köpt	Hon (f)	Köp
Den/det (n)	Skulle köpa	Den/det (n)	Skulle ha köpt	Den/det (n)	Köp
Vi	Skulle köpa	Vi	Skulle ha köpt	Vi	Köp
Ni	Skulle köpa	Ni	Skulle ha köpt	Ni	Köp
De	Skulle köpa	De	Skulle ha köpt	De	Köp

To call – att ringa

Present		Preteritum		Perfekt	
Jag	Ringer	Jag	Ringde	Jag	Har ringt
Du	Ringer	Du	Ringde	Du	Har ringt
Han (m)	Ringer	Han (m)	Ringde	Han (m)	Har ringt
Hon (f)	Ringer	Hon (f)	Ringde	Hon (f)	Har ringt
Den/det (n)	Ringer	Den/det (n)	Ringde	Den/det (n)	Har ringt
Vi	Ringer	Vi	Ringde	Vi	Har ringt
Ni	Ringer	Ni	Ringde	Ni	Har ringt
De	Ringer	De	Ringde	De	Har ringt

Pluskvamperfekt		Futurum 1		Futurum 2	
Jag	Hade ringt	Jag	Ska ringa	Jag	Kommer att ringa
Du	Hade ringt	Du	Ska ringa	Du	Kommer att ringa
Han (m)	Hade ringt	Han (m)	Ska ringa	Han (m)	Kommer att ringa
Hon (f)	Hade ringt	Hon (f)	Ska ringa	Hon (f)	Kommer att ringa
Den/det (n)	Hade ringt	Den/det (n)	Ska ringa	Den/det (n)	Kommer att ringa
Vi	Hade ringt	Vi	Ska ringa	Vi	Kommer att ringa
Ni	Hade ringt	Ni	Ska ringa	Ni	Kommer att ringa
De	Hade ringt	De	Ska ringa	De	Kommer att ringa

VERB MOODS					
Conditional 1		Conditional 2		Imperative	
Jag	Skulle ringa	Jag	Skulle ha ringt	Jag	Ring
Du	Skulle ringa	Du	Skulle ha ringt	Du	Ring
Han (m)	Skulle ringa	Han (m)	Skulle ha ringt	Han (m)	Ring
Hon (f)	Skulle ringa	Hon (f)	Skulle ha ringt	Hon (f)	Ring
Den/det (n)	Skulle ringa	Den/det (n)	Skulle ha ringt	Den/det (n)	Ring
Vi	Skulle ringa	Vi	Skulle ha ringt	Vi	Ring
Ni	Skulle ringa	Ni	Skulle ha ringt	Ni	Ring
De	Skulle ringa	De	Skulle ha ringt	De	Ring

To can - att kunna

Present		Preteritum		Perfekt	
Jag	Kan	Jag	Kunde	Jag	Har kunnat
Du	Kan	Du	Kunde	Du	Har kunnat
Han (m)	Kan	Han (m)	Kunde	Han (m)	Har kunnat
Hon (f)	Kan	Hon (f)	Kunde	Hon (f)	Har kunnat
Den/det (n)	Kan	Den/det (n)	Kunde	Den/det (n)	Har kunnat
Vi	Kan	Vi	Kunde	Vi	Har kunnat
Ni	Kan	Ni	Kunde	Ni	Har kunnat
De	Kan	De	Kunde	De	Har kunnat

Pluskvamperfekt		Futurum 1		Futurum 2	
Jag	Hade kunnat	Jag	Ska kunna	Jag	Kommer att kunna
Du	Hade kunnat	Du	Ska kunna	Du	Kommer att kunna
Han (m)	Hade kunnat	Han (m)	Ska kunna	Han (m)	Kommer att kunna
Hon (f)	Hade kunnat	Hon (f)	Ska kunna	Hon (f)	Kommer att kunna
Den/det (n)	Hade kunnat	Den/det (n)	Ska kunna	Den/det (n)	Kommer att kunna
Vi	Hade kunnat	Vi	Ska kunna	Vi	Kommer att kunna
Ni	Hade kunnat	Ni	Ska kunna	Ni	Kommer att kunna
De	Hade kunnat	De	Ska kunna	De	Kommer att kunna

VERB MOODS					
Conditional 1		Conditional 2		Imperative	
Jag	Skulle kunna	Jag	Skulle ha kunnat	Jag	
Du	Skulle kunna	Du	Skulle ha kunnat	Du	
Han (m)	Skulle kunna	Han (m)	Skulle ha kunnat	Han (m)	
Hon (f)	Skulle kunna	Hon (f)	Skulle ha kunnat	Hon (f)	
Den/det (n)	Skulle kunna	Den/det (n)	Skulle ha kunnat	Den/det (n)	
Vi	Skulle kunna	Vi	Skulle ha kunnat	Vi	
Ni	Skulle kunna	Ni	Skulle ha kunnat	Ni	
De	Skulle kunna	De	Skulle ha kunnat	De	

To choose – att välja

Present		Preteritum		Perfekt	
Jag	Väljer	Jag	Valde	Jag	Har valt
Du	Väljer	Du	Valde	Du	Har valt
Han (m)	Väljer	Han (m)	Valde	Han (m)	Har valt
Hon (f)	Väljer	Hon (f)	Valde	Hon (f)	Har valt
Den/det (n)	Väljer	Den/det (n)	Valde	Den/det (n)	Har valt
Vi	Väljer	Vi	Valde	Vi	Har valt
Ni	Väljer	Ni	Valde	Ni	Har valt
De	Väljer	De	Valde	De	Har valt

Pluskvamperfekt		Futurum 1		Futurum 2	
Jag	Hade valt	Jag	Ska välja	Jag	Kommer att välja
Du	Hade valt	Du	Ska välja	Du	Kommer att välja
Han (m)	Hade valt	Han (m)	Ska välja	Han (m)	Kommer att välja
Hon (f)	Hade valt	Hon (f)	Ska välja	Hon (f)	Kommer att välja
Den/det (n)	Hade valt	Den/det (n)	Ska välja	Den/det (n)	Kommer att välja
Vi	Hade valt	Vi	Ska välja	Vi	Kommer att välja
Ni	Hade valt	Ni	Ska välja	Ni	Kommer att välja
De	Hade valt	De	Ska välja	De	Kommer att välja

VERB MOODS					
Conditional 1		Conditional 2		Imperative	
Jag	Skulle välja	Jag	Skulle ha valt	Jag	Välj
Du	Skulle välja	Du	Skulle ha valt	Du	Välj
Han (m)	Skulle välja	Han (m)	Skulle ha valt	Han (m)	Välj
Hon (f)	Skulle välja	Hon (f)	Skulle ha valt	Hon (f)	Välj
Den/det (n)	Skulle välja	Den/det (n)	Skulle ha valt	Den/det (n)	Välj
Vi	Skulle välja	Vi	Skulle ha valt	Vi	Välj
Ni	Skulle välja	Ni	Skulle ha valt	Ni	Välj
De	Skulle välja	De	Skulle ha valt	De	Välj

To close – att stänga

Present		Preteritum		Perfekt	
Jag	Stänger	Jag	Stängde	Jag	Har stängt
Du	Stänger	Du	Stängde	Du	Har stängt
Han (m)	Stänger	Han (m)	Stängde	Han (m)	Har stängt
Hon (f)	Stänger	Hon (f)	Stängde	Hon (f)	Har stängt
Den/det (n)	Stänger	Den/det (n)	Stängde	Den/det (n)	Har stängt
Vi	Stänger	Vi	Stängde	Vi	Har stängt
Ni	Stänger	Ni	Stängde	Ni	Har stängt
De	Stänger	De	Stängde	De	Har stängt

Pluskvamperfekt		Futurum 1		Futurum 2	
Jag	Hade stängt	Jag	Ska stänga	Jag	Kommer att stänga
Du	Hade stängt	Du	Ska stänga	Du	Kommer att stänga
Han (m)	Hade stängt	Han (m)	Ska stänga	Han (m)	Kommer att stänga
Hon (f)	Hade stängt	Hon (f)	Ska stänga	Hon (f)	Kommer att stänga
Den/det (n)	Hade stängt	Den/det (n)	Ska stänga	Den/det (n)	Kommer att stänga
Vi	Hade stängt	Vi	Ska stänga	Vi	Kommer att stänga
Ni	Hade stängt	Ni	Ska stänga	Ni	Kommer att stänga
De	Hade stängt	De	Ska stänga	De	Kommer att stänga

VERB MOODS					
Conditional 1		Conditional 2		Imperative	
Jag	Skulle stänga	Jag	Skulle ha stängt	Jag	Stäng
Du	Skulle stänga	Du	Skulle ha stängt	Du	Stäng
Han (m)	Skulle stänga	Han (m)	Skulle ha stängt	Han (m)	Stäng
Hon (f)	Skulle stänga	Hon (f)	Skulle ha stängt	Hon (f)	Stäng
Den/det (n)	Skulle stänga	Den/det (n)	Skulle ha stängt	Den/det (n)	Stäng
Vi	Skulle stänga	Vi	Skulle ha stängt	Vi	Stäng
Ni	Skulle stänga	Ni	Skulle ha stängt	Ni	Stäng
De	Skulle stänga	De	Skulle ha stängt	De	Stäng

To come – att komma

Present		Preteritum		Perfekt	
Jag	Kommer	Jag	Kom	Jag	Har kommit
Du	Kommer	Du	Kom	Du	Har kommit
Han (m)	Kommer	Han (m)	Kom	Han (m)	Har kommit
Hon (f)	Kommer	Hon (f)	Kom	Hon (f)	Har kommit
Den/det (n)	Kommer	Den/det (n)	Kom	Den/det (n)	Har kommit
Vi	Kommer	Vi	Kom	Vi	Har kommit
Ni	Kommer	Ni	Kom	Ni	Har kommit
De	Kommer	De	Kom	De	Har kommit

Pluskvamperfekt		Futurum 1		Futurum 2	
Jag	Hade kommit	Jag	Ska komma	Jag	Kommer att komma
Du	Hade kommit	Du	Ska komma	Du	Kommer att komma
Han (m)	Hade kommit	Han (m)	Ska komma	Han (m)	Kommer att komma
Hon (f)	Hade kommit	Hon (f)	Ska komma	Hon (f)	Kommer att komma
Den/det (n)	Hade kommit	Den/det (n)	Ska komma	Den/det (n)	Kommer att komma
Vi	Hade kommit	Vi	Ska komma	Vi	Kommer att komma
Ni	Hade kommit	Ni	Ska komma	Ni	Kommer att komma
De	Hade kommit	De	Ska komma	De	Kommer att komma

VERB MOODS

Conditional 1		Conditional 2		Imperative	
Jag	Skulle komma	Jag	Skulle ha kommit	Jag	Kom
Du	Skulle komma	Du	Skulle ha kommit	Du	Kom
Han (m)	Skulle komma	Han (m)	Skulle ha kommit	Han (m)	Kom
Hon (f)	Skulle komma	Hon (f)	Skulle ha kommit	Hon (f)	Kom
Den/det (n)	Skulle komma	Den/det (n)	Skulle ha kommit	Den/det (n)	Kom
Vi	Skulle komma	Vi	Skulle ha kommit	Vi	Kom
Ni	Skulle komma	Ni	Skulle ha kommit	Ni	Kom
De	Skulle komma	De	Skulle ha kommit	De	Kom

To cook – att laga mat

Present		Preteritum		Perfekt	
Jag	Lagar mat	Jag	Lagade mat	Jag	Har lagat mat
Du	Lagar mat	Du	Lagade mat	Du	Har lagat mat
Han (m)	Lagar mat	Han (m)	Lagade mat	Han (m)	Har lagat mat
Hon (f)	Lagar mat	Hon (f)	Lagade mat	Hon (f)	Har lagat mat
Den/det (n)	Lagar mat	Den/det (n)	Lagade mat	Den/det (n)	Har lagat mat
Vi	Lagar mat	Vi	Lagade mat	Vi	Har lagat mat
Ni	Lagar mat	Ni	Lagade mat	Ni	Har lagat mat
De	Lagar mat	De	Lagade mat	De	Har lagat mat

Pluskvamperfekt		Futurum 1		Futurum 2	
Jag	Hade lagat mat	Jag	Ska laga mat	Jag	Kommer att laga mat
Du	Hade lagat mat	Du	Ska laga mat	Du	Kommer att laga mat
Han (m)	Hade lagat mat	Han (m)	Ska laga mat	Han (m)	Kommer att laga mat
Hon (f)	Hade lagat mat	Hon (f)	Ska laga mat	Hon (f)	Kommer att laga mat
Den/det (n)	Hade lagat mat	Den/det (n)	Ska laga mat	Den/det (n)	Kommer att laga mat
Vi	Hade lagat mat	Vi	Ska laga mat	Vi	Kommer att laga mat
Ni	Hade lagat mat	Ni	Ska laga mat	Ni	Kommer att laga mat
De	Hade lagat mat	De	Ska laga mat	De	Kommer att laga mat

VERB MOODS					
Conditional 1		Conditional 2		Imperative	
Jag	Skulle laga mat	Jag	Skulle ha lagat mat	Jag	Laga mat
Du	Skulle laga mat	Du	Skulle ha lagat mat	Du	Laga mat
Han (m)	Skulle laga mat	Han (m)	Skulle ha lagat mat	Han (m)	Laga mat
Hon (f)	Skulle laga mat	Hon (f)	Skulle ha lagat mat	Hon (f)	Laga mat
Den/det (n)	Skulle laga mat	Den/det (n)	Skulle ha lagat mat	Den/det (n)	Laga mat
Vi	Skulle laga mat	Vi	Skulle ha lagat mat	Vi	Laga mat
Ni	Skulle laga mat	Ni	Skulle ha lagat mat	Ni	Laga mat
De	Skulle laga mat	De	Skulle ha lagat mat	De	Laga mat

To cry – att gråta

Present		Preteritum		Perfekt	
Jag	Gråter	Jag	Grät	Jag	Har gråtit
Du	Gråter	Du	Grät	Du	Har gråtit
Han (m)	Gråter	Han (m)	Grät	Han (m)	Har gråtit
Hon (f)	Gråter	Hon (f)	Grät	Hon (f)	Har gråtit
Den/det (n)	Gråter	Den/det (n)	Grät	Den/det (n)	Har gråtit
Vi	Gråter	Vi	Grät	Vi	Har gråtit
Ni	Gråter	Ni	Grät	Ni	Har gråtit
De	Gråter	De	Grät	De	Har gråtit

Pluskvamperfekt		Futurum 1		Futurum 2	
Jag	Hade gråtit	Jag	Ska gråta	Jag	Kommer att gråta
Du	Hade gråtit	Du	Ska gråta	Du	Kommer att gråta
Han (m)	Hade gråtit	Han (m)	Ska gråta	Han (m)	Kommer att gråta
Hon (f)	Hade gråtit	Hon (f)	Ska gråta	Hon (f)	Kommer att gråta
Den/det (n)	Hade gråtit	Den/det (n)	Ska gråta	Den/det (n)	Kommer att gråta
Vi	Hade gråtit	Vi	Ska gråta	Vi	Kommer att gråta
Ni	Hade gråtit	Ni	Ska gråta	Ni	Kommer att gråta
De	Hade gråtit	De	Ska gråta	De	Kommer att gråta

VERB MOODS					
Conditional 1		Conditional 2		Imperative	
Jag	Skulle gråta	Jag	Skulle ha gråtit	Jag	Gråt
Du	Skulle gråta	Du	Skulle ha gråtit	Du	Gråt
Han (m)	Skulle gråta	Han (m)	Skulle ha gråtit	Han (m)	Gråt
Hon (f)	Skulle gråta	Hon (f)	Skulle ha gråtit	Hon (f)	Gråt
Den/det (n)	Skulle gråta	Den/det (n)	Skulle ha gråtit	Den/det (n)	Gråt
Vi	Skulle gråta	Vi	Skulle ha gråtit	Vi	Gråt
Ni	Skulle gråta	Ni	Skulle ha gråtit	Ni	Gråt
De	Skulle gråta	De	Skulle ha gråtit	De	Gråt

To dance – att dansa

Present		Preteritum		Perfekt	
Jag	Dansar	Jag	Dansade	Jag	Har dansat
Du	Dansar	Du	Dansade	Du	Har dansat
Han (m)	Dansar	Han (m)	Dansade	Han (m)	Har dansat
Hon (f)	Dansar	Hon (f)	Dansade	Hon (f)	Har dansat
Den/det (n)	Dansar	Den/det (n)	Dansade	Den/det (n)	Har dansat
Vi	Dansar	Vi	Dansade	Vi	Har dansat
Ni	Dansar	Ni	Dansade	Ni	Har dansat
De	Dansar	De	Dansade	De	Har dansat

Pluskvamperfekt		Futurum 1		Futurum 2	
Jag	Hade dansat	Jag	Ska dansa	Jag	Kommer att dansa
Du	Hade dansat	Du	Ska dansa	Du	Kommer att dansa
Han (m)	Hade dansat	Han (m)	Ska dansa	Han (m)	Kommer att dansa
Hon (f)	Hade dansat	Hon (f)	Ska dansa	Hon (f)	Kommer att dansa
Den/det (n)	Hade dansat	Den/det (n)	Ska dansa	Den/det (n)	Kommer att dansa
Vi	Hade dansat	Vi	Ska dansa	Vi	Kommer att dansa
Ni	Hade dansat	Ni	Ska dansa	Ni	Kommer att dansa
De	Hade dansat	De	Ska dansa	De	Kommer att dansa

VERB MOODS					
Conditional 1		Conditional 2		Imperative	
Jag	Skulle dansa	Jag	Skulle ha dansat	Jag	Dansa
Du	Skulle dansa	Du	Skulle ha dansat	Du	Dansa
Han (m)	Skulle dansa	Han (m)	Skulle ha dansat	Han (m)	Dansa
Hon (f)	Skulle dansa	Hon (f)	Skulle ha dansat	Hon (f)	Dansa
Den/det (n)	Skulle dansa	Den/det (n)	Skulle ha dansat	Den/det (n)	Dansa
Vi	Skulle dansa	Vi	Skulle ha dansat	Vi	Dansa
Ni	Skulle dansa	Ni	Skulle ha dansat	Ni	Dansa
De	Skulle dansa	De	Skulle ha dansat	De	Dansa

To decide – att bestämma

Present		Preteritum		Perfekt	
Jag	Bestämmer	Jag	Bestämde	Jag	Har bestämt
Du	Bestämmer	Du	Bestämde	Du	Har bestämt
Han (m)	Bestämmer	Han (m)	Bestämde	Han (m)	Har bestämt
Hon (f)	Bestämmer	Hon (f)	Bestämde	Hon (f)	Har bestämt
Den/det (n)	Bestämmer	Den/det (n)	Bestämde	Den/det (n)	Har bestämt
Vi	Bestämmer	Vi	Bestämde	Vi	Har bestämt
Ni	Bestämmer	Ni	Bestämde	Ni	Har bestämt
De	Bestämmer	De	Bestämde	De	Har bestämt

Pluskvamperfekt		Futurum 1		Futurum 2	
Jag	Hade bestämt	Jag	Ska bestämma	Jag	Kommer att bestämma
Du	Hade bestämt	Du	Ska bestämma	Du	Kommer att bestämma
Han (m)	Hade bestämt	Han (m)	Ska bestämma	Han (m)	Kommer att bestämma
Hon (f)	Hade bestämt	Hon (f)	Ska bestämma	Hon (f)	Kommer att bestämma
Den/det (n)	Hade bestämt	Den/det (n)	Ska bestämma	Den/det (n)	Kommer att bestämma
Vi	Hade bestämt	Vi	Ska bestämma	Vi	Kommer att bestämma
Ni	Hade bestämt	Ni	Ska bestämma	Ni	Kommer att bestämma
De	Hade bestämt	De	Ska bestämma	De	Kommer att bestämma

VERB MOODS

Conditional 1		Conditional 2		Imperative	
Jag	Skulle bestämma	Jag	Skulle ha bestämt	Jag	Bestäm
Du	Skulle bestämma	Du	Skulle ha bestämt	Du	Bestäm
Han (m)	Skulle bestämma	Han (m)	Skulle ha bestämt	Han (m)	Bestäm
Hon (f)	Skulle bestämma	Hon (f)	Skulle ha bestämt	Hon (f)	Bestäm
Den/det (n)	Skulle bestämma	Den/det (n)	Skulle ha bestämt	Den/det (n)	Bestäm
Vi	Skulle bestämma	Vi	Skulle ha bestämt	Vi	Bestäm
Ni	Skulle bestämma	Ni	Skulle ha bestämt	Ni	Bestäm
De	Skulle bestämma	De	Skulle ha bestämt	De	Bestäm

To decrease – att minska

Present		Preteritum		Perfekt	
Jag	Minskar	Jag	Minskade	Jag	Har minskat
Du	Minskar	Du	Minskade	Du	Har minskat
Han (m)	Minskar	Han (m)	Minskade	Han (m)	Har minskat
Hon (f)	Minskar	Hon (f)	Minskade	Hon (f)	Har minskat
Den/det (n)	Minskar	Den/det (n)	Minskade	Den/det (n)	Har minskat
Vi	Minskar	Vi	Minskade	Vi	Har minskat
Ni	Minskar	Ni	Minskade	Ni	Har minskat
De	Minskar	De	Minskade	De	Har minskat

Pluskvamperfekt		Futurum 1		Futurum 2	
Jag	Hade minskat	Jag	Ska minska	Jag	Kommer att minska
Du	Hade minskat	Du	Ska minska	Du	Kommer att minska
Han (m)	Hade minskat	Han (m)	Ska minska	Han (m)	Kommer att minska
Hon (f)	Hade minskat	Hon (f)	Ska minska	Hon (f)	Kommer att minska
Den/det (n)	Hade minskat	Den/det (n)	Ska minska	Den/det (n)	Kommer att minska
Vi	Hade minskat	Vi	Ska minska	Vi	Kommer att minska
Ni	Hade minskat	Ni	Ska minska	Ni	Kommer att minska
De	Hade minskat	De	Ska minska	De	Kommer att minska

VERB MOODS

Conditional 1		Conditional 2		Imperative	
Jag	Skulle minska	Jag	Skulle ha minskat	Jag	Minska
Du	Skulle minska	Du	Skulle ha minskat	Du	Minska
Han (m)	Skulle minska	Han (m)	Skulle ha minskat	Han (m)	Minska
Hon (f)	Skulle minska	Hon (f)	Skulle ha minskat	Hon (f)	Minska
Den/det (n)	Skulle minska	Den/det (n)	Skulle ha minskat	Den/det (n)	Minska
Vi	Skulle minska	Vi	Skulle ha minskat	Vi	Minska
Ni	Skulle minska	Ni	Skulle ha minskat	Ni	Minska
De	Skulle minska	De	Skulle ha minskat	De	Minska

To die – att dö

Present		Preteritum		Perfekt	
Jag	Dör	Jag	Dog	Jag	Har dött
Du	Dör	Du	Dog	Du	Har dött
Han (m)	Dör	Han (m)	Dog	Han (m)	Har dött
Hon (f)	Dör	Hon (f)	Dog	Hon (f)	Har dött
Den/det (n)	Dör	Den/det (n)	Dog	Den/det (n)	Har dött
Vi	Dör	Vi	Dog	Vi	Har dött
Ni	Dör	Ni	Dog	Ni	Har dött
De	Dör	De	Dog	De	Har dött

Pluskvamperfekt		Futurum 1		Futurum 2	
Jag	Hade dött	Jag	Ska dö	Jag	Kommer att dö
Du	Hade dött	Du	Ska dö	Du	Kommer att dö
Han (m)	Hade dött	Han (m)	Ska dö	Han (m)	Kommer att dö
Hon (f)	Hade dött	Hon (f)	Ska dö	Hon (f)	Kommer att dö
Den/det (n)	Hade dött	Den/det (n)	Ska dö	Den/det (n)	Kommer att dö
Vi	Hade dött	Vi	Ska dö	Vi	Kommer att dö
Ni	Hade dött	Ni	Ska dö	Ni	Kommer att dö
De	Hade dött	De	Ska dö	De	Kommer att dö

VERB MOODS					
Conditional 1		Conditional 2		Imperative	
Jag	Skulle dö	Jag	Skulle ha dött	Jag	Dö
Du	Skulle dö	Du	Skulle ha dött	Du	Dö
Han (m)	Skulle dö	Han (m)	Skulle ha dött	Han (m)	Dö
Hon (f)	Skulle dö	Hon (f)	Skulle ha dött	Hon (f)	Dö
Den/det (n)	Skulle dö	Den/det (n)	Skulle ha dött	Den/det (n)	Dö
Vi	Skulle dö	Vi	Skulle ha dött	Vi	Dö
Ni	Skulle dö	Ni	Skulle ha dött	Ni	Dö
De	Skulle dö	De	Skulle ha dött	De	Dö

To do – att göra

Present		Preteritum		Perfekt	
Jag	Gör	Jag	Gjorde	Jag	Har gjort
Du	Gör	Du	Gjorde	Du	Har gjort
Han (m)	Gör	Han (m)	Gjorde	Han (m)	Har gjort
Hon (f)	Gör	Hon (f)	Gjorde	Hon (f)	Har gjort
Den/det (n)	Gör	Den/det (n)	Gjorde	Den/det (n)	Har gjort
Vi	Gör	Vi	Gjorde	Vi	Har gjort
Ni	Gör	Ni	Gjorde	Ni	Har gjort
De	Gör	De	Gjorde	De	Har gjort

Pluskvamperfekt		Futurum 1		Futurum 2	
Jag	Hade gjort	Jag	Ska göra	Jag	Kommer att göra
Du	Hade gjort	Du	Ska göra	Du	Kommer att göra
Han (m)	Hade gjort	Han (m)	Ska göra	Han (m)	Kommer att göra
Hon (f)	Hade gjort	Hon (f)	Ska göra	Hon (f)	Kommer att göra
Den/det (n)	Hade gjort	Den/det (n)	Ska göra	Den/det (n)	Kommer att göra
Vi	Hade gjort	Vi	Ska göra	Vi	Kommer att göra
Ni	Hade gjort	Ni	Ska göra	Ni	Kommer att göra
De	Hade gjort	De	Ska göra	De	Kommer att göra

VERB MOODS					
Conditional 1		Conditional 2		Imperative	
Jag	Skulle göra	Jag	Skulle ha gjort	Jag	Gör
Du	Skulle göra	Du	Skulle ha gjort	Du	Gör
Han (m)	Skulle göra	Han (m)	Skulle ha gjort	Han (m)	Gör
Hon (f)	Skulle göra	Hon (f)	Skulle ha gjort	Hon (f)	Gör
Den/det (n)	Skulle göra	Den/det (n)	Skulle ha gjort	Den/det (n)	Gör
Vi	Skulle göra	Vi	Skulle ha gjort	Vi	Gör
Ni	Skulle göra	Ni	Skulle ha gjort	Ni	Gör
De	Skulle göra	De	Skulle ha gjort	De	Gör

To drink – att dricka

Present		Preteritum		Perfekt	
Jag	Dricker	Jag	Drack	Jag	Har druckit
Du	Dricker	Du	Drack	Du	Har druckit
Han (m)	Dricker	Han (m)	Drack	Han (m)	Har druckit
Hon (f)	Dricker	Hon (f)	Drack	Hon (f)	Har druckit
Den/det (n)	Dricker	Den/det (n)	Drack	Den/det (n)	Har druckit
Vi	Dricker	Vi	Drack	Vi	Har druckit
Ni	Dricker	Ni	Drack	Ni	Har druckit
De	Dricker	De	Drack	De	Har druckit

Pluskvamperfekt		Futurum 1		Futurum 2	
Jag	Hade druckit	Jag	Ska dricka	Jag	Kommer att dricka
Du	Hade druckit	Du	Ska dricka	Du	Kommer att dricka
Han (m)	Hade druckit	Han (m)	Ska dricka	Han (m)	Kommer att dricka
Hon (f)	Hade druckit	Hon (f)	Ska dricka	Hon (f)	Kommer att dricka
Den/det (n)	Hade druckit	Den/det (n)	Ska dricka	Den/det (n)	Kommer att dricka
Vi	Hade druckit	Vi	Ska dricka	Vi	Kommer att dricka
Ni	Hade druckit	Ni	Ska dricka	Ni	Kommer att dricka
De	Hade druckit	De	Ska dricka	De	Kommer att dricka

VERB MOODS					
Conditional 1		Conditional 2		Imperative	
Jag	Skulle dricka	Jag	Skulle ha druckit	Jag	Drick
Du	Skulle dricka	Du	Skulle ha druckit	Du	Drick
Han (m)	Skulle dricka	Han (m)	Skulle ha druckit	Han (m)	Drick
Hon (f)	Skulle dricka	Hon (f)	Skulle ha druckit	Hon (f)	Drick
Den/det (n)	Skulle dricka	Den/det (n)	Skulle ha druckit	Den/det (n)	Drick
Vi	Skulle dricka	Vi	Skulle ha druckit	Vi	Drick
Ni	Skulle dricka	Ni	Skulle ha druckit	Ni	Drick
De	Skulle dricka	De	Skulle ha druckit	De	Drick

To drive – att köra

Present		Preteritum		Perfekt	
Jag	Kör	Jag	Körde	Jag	Har kört
Du	Kör	Du	Körde	Du	Har kört
Han (m)	Kör	Han (m)	Körde	Han (m)	Har kört
Hon (f)	Kör	Hon (f)	Körde	Hon (f)	Har kört
Den/det (n)	Kör	Den/det (n)	Körde	Den/det (n)	Har kört
Vi	Kör	Vi	Körde	Vi	Har kört
Ni	Kör	Ni	Körde	Ni	Har kört
De	Kör	De	Körde	De	Har kört

Pluskvamperfekt		Futurum 1		Futurum 2	
Jag	Hade kört	Jag	Ska köra	Jag	Kommer att köra
Du	Hade kört	Du	Ska köra	Du	Kommer att köra
Han (m)	Hade kört	Han (m)	Ska köra	Han (m)	Kommer att köra
Hon (f)	Hade kört	Hon (f)	Ska köra	Hon (f)	Kommer att köra
Den/det (n)	Hade kört	Den/det (n)	Ska köra	Den/det (n)	Kommer att köra
Vi	Hade kört	Vi	Ska köra	Vi	Kommer att köra
Ni	Hade kört	Ni	Ska köra	Ni	Kommer att köra
De	Hade kört	De	Ska köra	De	Kommer att köra

VERB MOODS					
Conditional 1		Conditional 2		Imperative	
Jag	Skulle köra	Jag	Skulle ha kört	Jag	Kör
Du	Skulle köra	Du	Skulle ha kört	Du	Kör
Han (m)	Skulle köra	Han (m)	Skulle ha kört	Han (m)	Kör
Hon (f)	Skulle köra	Hon (f)	Skulle ha kört	Hon (f)	Kör
Den/det (n)	Skulle köra	Den/det (n)	Skulle ha kört	Den/det (n)	Kör
Vi	Skulle köra	Vi	Skulle ha kört	Vi	Kör
Ni	Skulle köra	Ni	Skulle ha kört	Ni	Kör
De	Skulle köra	De	Skulle ha kört	De	Kör

To eat – att äta

Present		Preteritum		Perfekt	
Jag	Äter	Jag	Åt	Jag	Har ätit
Du	Äter	Du	Åt	Du	Har ätit
Han (m)	Äter	Han (m)	Åt	Han (m)	Har ätit
Hon (f)	Äter	Hon (f)	Åt	Hon (f)	Har ätit
Den/det (n)	Äter	Den/det (n)	Åt	Den/det (n)	Har ätit
Vi	Äter	Vi	Åt	Vi	Har ätit
Ni	Äter	Ni	Åt	Ni	Har ätit
De	Äter	De	Åt	De	Har ätit

Pluskvamperfekt		Futurum 1		Futurum 2	
Jag	Hade ätit	Jag	Ska äta	Jag	Kommer att äta
Du	Hade ätit	Du	Ska äta	Du	Kommer att äta
Han (m)	Hade ätit	Han (m)	Ska äta	Han (m)	Kommer att äta
Hon (f)	Hade ätit	Hon (f)	Ska äta	Hon (f)	Kommer att äta
Den/det (n)	Hade ätit	Den/det (n)	Ska äta	Den/det (n)	Kommer att äta
Vi	Hade ätit	Vi	Ska äta	Vi	Kommer att äta
Ni	Hade ätit	Ni	Ska äta	Ni	Kommer att äta
De	Hade ätit	De	Ska äta	De	Kommer att äta

VERB MOODS					
Conditional 1		Conditional 2		Imperative	
Jag	Skulle äta	Jag	Skulle ha ätit	Jag	Ät
Du	Skulle äta	Du	Skulle ha ätit	Du	Ät
Han (m)	Skulle äta	Han (m)	Skulle ha ätit	Han (m)	Ät
Hon (f)	Skulle äta	Hon (f)	Skulle ha ätit	Hon (f)	Ät
Den/det (n)	Skulle äta	Den/det (n)	Skulle ha ätit	Den/det (n)	Ät
Vi	Skulle äta	Vi	Skulle ha ätit	Vi	Ät
Ni	Skulle äta	Ni	Skulle ha ätit	Ni	Ät
De	Skulle äta	De	Skulle ha ätit	De	Ät

To enter – att gå in

Present		Preteritum		Perfekt	
Jag	Går in	Jag	Gick in	Jag	Har gått in
Du	Går in	Du	Gick in	Du	Har gått in
Han (m)	Går in	Han (m)	Gick in	Han (m)	Har gått in
Hon (f)	Går in	Hon (f)	Gick in	Hon (f)	Har gått in
Den/det (n)	Går in	Den/det (n)	Gick in	Den/det (n)	Har gått in
Vi	Går in	Vi	Gick in	Vi	Har gått in
Ni	Går in	Ni	Gick in	Ni	Har gått in
De	Går in	De	Gick in	De	Har gått in

Pluskvamperfekt		Futurum 1		Futurum 2	
Jag	Hade gått in	Jag	Ska gå in	Jag	Kommer att gå in
Du	Hade gått in	Du	Ska gå in	Du	Kommer att gå in
Han (m)	Hade gått in	Han (m)	Ska gå in	Han (m)	Kommer att gå in
Hon (f)	Hade gått in	Hon (f)	Ska gå in	Hon (f)	Kommer att gå in
Den/det (n)	Hade gått in	Den/det (n)	Ska gå in	Den/det (n)	Kommer att gå in
Vi	Hade gått in	Vi	Ska gå in	Vi	Kommer att gå in
Ni	Hade gått in	Ni	Ska gå in	Ni	Kommer att gå in
De	Hade gått in	De	Ska gå in	De	Kommer att gå in

VERB MOODS					
Conditional 1		Conditional 2		Imperative	
Jag	Skulle gå in	Jag	Skulle ha gått in	Jag	Gå in
Du	Skulle gå in	Du	Skulle ha gått in	Du	Gå in
Han (m)	Skulle gå in	Han (m)	Skulle ha gått in	Han (m)	Gå in
Hon (f)	Skulle gå in	Hon (f)	Skulle ha gått in	Hon (f)	Gå in
Den/det (n)	Skulle gå in	Den/det (n)	Skulle ha gått in	Den/det (n)	Gå in
Vi	Skulle gå in	Vi	Skulle ha gått in	Vi	Gå in
Ni	Skulle gå in	Ni	Skulle ha gått in	Ni	Gå in
De	Skulle gå in	De	Skulle ha gått in	De	Gå in

To exit – att gå ut

Present		Preteritum		Perfekt	
Jag	Går ut	Jag	Gick ut	Jag	Har gått ut
Du	Går ut	Du	Gick ut	Du	Har gått ut
Han (m)	Går ut	Han (m)	Gick ut	Han (m)	Har gått ut
Hon (f)	Går ut	Hon (f)	Gick ut	Hon (f)	Har gått ut
Den/det (n)	Går ut	Den/det (n)	Gick ut	Den/det (n)	Har gått ut
Vi	Går ut	Vi	Gick ut	Vi	Har gått ut
Ni	Går ut	Ni	Gick ut	Ni	Har gått ut
De	Går ut	De	Gick ut	De	Har gått ut

Pluskvamperfekt		Futurum 1		Futurum 2	
Jag	Hade gått ut	Jag	Ska gå ut	Jag	Kommer att gå ut
Du	Hade gått ut	Du	Ska gå ut	Du	Kommer att gå ut
Han (m)	Hade gått ut	Han (m)	Ska gå ut	Han (m)	Kommer att gå ut
Hon (f)	Hade gått ut	Hon (f)	Ska gå ut	Hon (f)	Kommer att gå ut
Den/det (n)	Hade gått ut	Den/det (n)	Ska gå ut	Den/det (n)	Kommer att gå ut
Vi	Hade gått ut	Vi	Ska gå ut	Vi	Kommer att gå ut
Ni	Hade gått ut	Ni	Ska gå ut	Ni	Kommer att gå ut
De	Hade gått ut	De	Ska gå ut	De	Kommer att gå ut

VERB MOODS					
Conditional 1		Conditional 2		Imperative	
Jag	Skulle gå ut	Jag	Skulle ha gått ut	Jag	Gå ut
Du	Skulle gå ut	Du	Skulle ha gått ut	Du	Gå ut
Han (m)	Skulle gå ut	Han (m)	Skulle ha gått ut	Han (m)	Gå ut
Hon (f)	Skulle gå ut	Hon (f)	Skulle ha gått ut	Hon (f)	Gå ut
Den/det (n)	Skulle gå ut	Den/det (n)	Skulle ha gått ut	Den/det (n)	Gå ut
Vi	Skulle gå ut	Vi	Skulle ha gått ut	Vi	Gå ut
Ni	Skulle gå ut	Ni	Skulle ha gått ut	Ni	Gå ut
De	Skulle gå ut	De	Skulle ha gått ut	De	Gå ut

To explain – att förklara

Present		Preteritum		Perfekt	
Jag	Förklarar	Jag	Förklarade	Jag	Har förklarat
Du	Förklarar	Du	Förklarade	Du	Har förklarat
Han (m)	Förklarar	Han (m)	Förklarade	Han (m)	Har förklarat
Hon (f)	Förklarar	Hon (f)	Förklarade	Hon (f)	Har förklarat
Den/det (n)	Förklarar	Den/det (n)	Förklarade	Den/det (n)	Har förklarat
Vi	Förklarar	Vi	Förklarade	Vi	Har förklarat
Ni	Förklarar	Ni	Förklarade	Ni	Har förklarat
De	Förklarar	De	Förklarade	De	Har förklarat

Pluskvamperfekt		Futurum 1		Futurum 2	
Jag	Hade förklarat	Jag	Ska förklara	Jag	Kommer att förklara
Du	Hade förklarat	Du	Ska förklara	Du	Kommer att förklara
Han (m)	Hade förklarat	Han (m)	Ska förklara	Han (m)	Kommer att förklara
Hon (f)	Hade förklarat	Hon (f)	Ska förklara	Hon (f)	Kommer att förklara
Den/det (n)	Hade förklarat	Den/det (n)	Ska förklara	Den/det (n)	Kommer att förklara
Vi	Hade förklarat	Vi	Ska förklara	Vi	Kommer att förklara
Ni	Hade förklarat	Ni	Ska förklara	Ni	Kommer att förklara
De	Hade förklarat	De	Ska förklara	De	Kommer att förklara

VERB MOODS					
Conditional 1		Conditional 2		Imperative	
Jag	Skulle förklara	Jag	Skulle ha förklarat	Jag	Förklara
Du	Skulle förklara	Du	Skulle ha förklarat	Du	Förklara
Han (m)	Skulle förklara	Han (m)	Skulle ha förklarat	Han (m)	Förklara
Hon (f)	Skulle förklara	Hon (f)	Skulle ha förklarat	Hon (f)	Förklara
Den/det (n)	Skulle förklara	Den/det (n)	Skulle ha förklarat	Den/det (n)	Förklara
Vi	Skulle förklara	Vi	Skulle ha förklarat	Vi	Förklara
Ni	Skulle förklara	Ni	Skulle ha förklarat	Ni	Förklara
De	Skulle förklara	De	Skulle ha förklarat	De	Förklara

To fall – att falla

Present		Preteritum		Perfekt	
Jag	Faller	Jag	Föll	Jag	Har fallit
Du	Faller	Du	Föll	Du	Har fallit
Han (m)	Faller	Han (m)	Föll	Han (m)	Har fallit
Hon (f)	Faller	Hon (f)	Föll	Hon (f)	Har fallit
Den/det (n)	Faller	Den/det (n)	Föll	Den/det (n)	Har fallit
Vi	Faller	Vi	Föll	Vi	Har fallit
Ni	Faller	Ni	Föll	Ni	Har fallit
De	Faller	De	Föll	De	Har fallit

Pluskvamperfekt		Futurum 1		Futurum 2	
Jag	Hade fallit	Jag	Ska falla	Jag	Kommer att falla
Du	Hade fallit	Du	Ska falla	Du	Kommer att falla
Han (m)	Hade fallit	Han (m)	Ska falla	Han (m)	Kommer att falla
Hon (f)	Hade fallit	Hon (f)	Ska falla	Hon (f)	Kommer att falla
Den/det (n)	Hade fallit	Den/det (n)	Ska falla	Den/det (n)	Kommer att falla
Vi	Hade fallit	Vi	Ska falla	Vi	Kommer att falla
Ni	Hade fallit	Ni	Ska falla	Ni	Kommer att falla
De	Hade fallit	De	Ska falla	De	Kommer att falla

VERB MOODS					
Conditional 1		Conditional 2		Imperative	
Jag	Skulle falla	Jag	Skulle ha fallit	Jag	Fall
Du	Skulle falla	Du	Skulle ha fallit	Du	Fall
Han (m)	Skulle falla	Han (m)	Skulle ha fallit	Han (m)	Fall
Hon (f)	Skulle falla	Hon (f)	Skulle ha fallit	Hon (f)	Fall
Den/det (n)	Skulle falla	Den/det (n)	Skulle ha fallit	Den/det (n)	Fall
Vi	Skulle falla	Vi	Skulle ha fallit	Vi	Fall
Ni	Skulle falla	Ni	Skulle ha fallit	Ni	Fall
De	Skulle falla	De	Skulle ha fallit	De	Fall

To feel – att känna

Present		Preteritum		Perfekt	
Jag	Känner	Jag	Kände	Jag	Har känt
Du	Känner	Du	Kände	Du	Har känt
Han (m)	Känner	Han (m)	Kände	Han (m)	Har känt
Hon (f)	Känner	Hon (f)	Kände	Hon (f)	Har känt
Den/det (n)	Känner	Den/det (n)	Kände	Den/det (n)	Har känt
Vi	Känner	Vi	Kände	Vi	Har känt
Ni	Känner	Ni	Kände	Ni	Har känt
De	Känner	De	Kände	De	Har känt

Pluskvamperfekt		Futurum 1		Futurum 2	
Jag	Hade känt	Jag	Ska känna	Jag	Kommer att känna
Du	Hade känt	Du	Ska känna	Du	Kommer att känna
Han (m)	Hade känt	Han (m)	Ska känna	Han (m)	Kommer att känna
Hon (f)	Hade känt	Hon (f)	Ska känna	Hon (f)	Kommer att känna
Den/det (n)	Hade känt	Den/det (n)	Ska känna	Den/det (n)	Kommer att känna
Vi	Hade känt	Vi	Ska känna	Vi	Kommer att känna
Ni	Hade känt	Ni	Ska känna	Ni	Kommer att känna
De	Hade känt	De	Ska känna	De	Kommer att känna

VERB MOODS					
Conditional 1		Conditional 2		Imperative	
Jag	Skulle känna	Jag	Skulle ha känt	Jag	Känn
Du	Skulle känna	Du	Skulle ha känt	Du	Känn
Han (m)	Skulle känna	Han (m)	Skulle ha känt	Han (m)	Känn
Hon (f)	Skulle känna	Hon (f)	Skulle ha känt	Hon (f)	Känn
Den/det (n)	Skulle känna	Den/det (n)	Skulle ha känt	Den/det (n)	Känn
Vi	Skulle känna	Vi	Skulle ha känt	Vi	Känn
Ni	Skulle känna	Ni	Skulle ha känt	Ni	Känn
De	Skulle känna	De	Skulle ha känt	De	Känn

To fight – att slåss

Present		Preteritum		Perfekt	
Jag	Slåss	Jag	Slogs	Jag	Har slagits
Du	Slåss	Du	Slogs	Du	Har slagits
Han (m)	Slåss	Han (m)	Slogs	Han (m)	Har slagits
Hon (f)	Slåss	Hon (f)	Slogs	Hon (f)	Har slagits
Den/det (n)	Slåss	Den/det (n)	Slogs	Den/det (n)	Har slagits
Vi	Slåss	Vi	Slogs	Vi	Har slagits
Ni	Slåss	Ni	Slogs	Ni	Har slagits
De	Slåss	De	Slogs	De	Har slagits

Pluskvamperfekt		Futurum 1		Futurum 2	
Jag	Hade slagits	Jag	Ska slåss	Jag	Kommer att slåss
Du	Hade slagits	Du	Ska slåss	Du	Kommer att slåss
Han (m)	Hade slagits	Han (m)	Ska slåss	Han (m)	Kommer att slåss
Hon (f)	Hade slagits	Hon (f)	Ska slåss	Hon (f)	Kommer att slåss
Den/det (n)	Hade slagits	Den/det (n)	Ska slåss	Den/det (n)	Kommer att slåss
Vi	Hade slagits	Vi	Ska slåss	Vi	Kommer att slåss
Ni	Hade slagits	Ni	Ska slåss	Ni	Kommer att slåss
De	Hade slagits	De	Ska slåss	De	Kommer att slåss

VERB MOODS					
Conditional 1		Conditional 2		Imperative	
Jag	Skulle slåss	Jag	Skulle ha slagits	Jag	Slåss
Du	Skulle slåss	Du	Skulle ha slagits	Du	Slåss
Han (m)	Skulle slåss	Han (m)	Skulle ha slagits	Han (m)	Slåss
Hon (f)	Skulle slåss	Hon (f)	Skulle ha slagits	Hon (f)	Slåss
Den/det (n)	Skulle slåss	Den/det (n)	Skulle ha slagits	Den/det (n)	Slåss
Vi	Skulle slåss	Vi	Skulle ha slagits	Vi	Slåss
Ni	Skulle slåss	Ni	Skulle ha slagits	Ni	Slåss
De	Skulle slåss	De	Skulle ha slagits	De	Slåss

To find – att hitta

Present		Preteritum		Perfekt	
Jag	Hittar	Jag	Hittade	Jag	Har hittat
Du	Hittar	Du	Hittade	Du	Har hittat
Han (m)	Hittar	Han (m)	Hittade	Han (m)	Har hittat
Hon (f)	Hittar	Hon (f)	Hittade	Hon (f)	Har hittat
Den/det (n)	Hittar	Den/det (n)	Hittade	Den/det (n)	Har hittat
Vi	Hittar	Vi	Hittade	Vi	Har hittat
Ni	Hittar	Ni	Hittade	Ni	Har hittat
De	Hittar	De	Hittade	De	Har hittat

Pluskvamperfekt		Futurum 1		Futurum 2	
Jag	Hade hittat	Jag	Ska hitta	Jag	Kommer att hitta
Du	Hade hittat	Du	Ska hitta	Du	Kommer att hitta
Han (m)	Hade hittat	Han (m)	Ska hitta	Han (m)	Kommer att hitta
Hon (f)	Hade hittat	Hon (f)	Ska hitta	Hon (f)	Kommer att hitta
Den/det (n)	Hade hittat	Den/det (n)	Ska hitta	Den/det (n)	Kommer att hitta
Vi	Hade hittat	Vi	Ska hitta	Vi	Kommer att hitta
Ni	Hade hittat	Ni	Ska hitta	Ni	Kommer att hitta
De	Hade hittat	De	Ska hitta	De	Kommer att hitta

VERB MOODS					
Conditional 1		Conditional 2		Imperative	
Jag	Skulle hitta	Jag	Skulle ha hittat	Jag	Hitta
Du	Skulle hitta	Du	Skulle ha hittat	Du	Hitta
Han (m)	Skulle hitta	Han (m)	Skulle ha hittat	Han (m)	Hitta
Hon (f)	Skulle hitta	Hon (f)	Skulle ha hittat	Hon (f)	Hitta
Den/det (n)	Skulle hitta	Den/det (n)	Skulle ha hittat	Den/det (n)	Hitta
Vi	Skulle hitta	Vi	Skulle ha hittat	Vi	Hitta
Ni	Skulle hitta	Ni	Skulle ha hittat	Ni	Hitta
De	Skulle hitta	De	Skulle ha hittat	De	Hitta

To finish – att slutföra

Present		Preteritum		Perfekt	
Jag	Slutför	Jag	Slutförde	Jag	Har slutfört
Du	Slutför	Du	Slutförde	Du	Har slutfört
Han (m)	Slutför	Han (m)	Slutförde	Han (m)	Har slutfört
Hon (f)	Slutför	Hon (f)	Slutförde	Hon (f)	Har slutfört
Den/det (n)	Slutför	Den/det (n)	Slutförde	Den/det (n)	Har slutfört
Vi	Slutför	Vi	Slutförde	Vi	Har slutfört
Ni	Slutför	Ni	Slutförde	Ni	Har slutfört
De	Slutför	De	Slutförde	De	Har slutfört

Pluskvamperfekt		Futurum 1		Futurum 2	
Jag	Hade slutfört	Jag	Ska slutföra	Jag	Kommer att slutföra
Du	Hade slutfört	Du	Ska slutföra	Du	Kommer att slutföra
Han (m)	Hade slutfört	Han (m)	Ska slutföra	Han (m)	Kommer att slutföra
Hon (f)	Hade slutfört	Hon (f)	Ska slutföra	Hon (f)	Kommer att slutföra
Den/det (n)	Hade slutfört	Den/det (n)	Ska slutföra	Den/det (n)	Kommer att slutföra
Vi	Hade slutfört	Vi	Ska slutföra	Vi	Kommer att slutföra
Ni	Hade slutfört	Ni	Ska slutföra	Ni	Kommer att slutföra
De	Hade slutfört	De	Ska slutföra	De	Kommer att slutföra

VERB MOODS					
Conditional 1		Conditional 2		Imperative	
Jag	Skulle slutföra	Jag	Skulle ha slutfört	Jag	Slutför
Du	Skulle slutföra	Du	Skulle ha slutfört	Du	Slutför
Han (m)	Skulle slutföra	Han (m)	Skulle ha slutfört	Han (m)	Slutför
Hon (f)	Skulle slutföra	Hon (f)	Skulle ha slutfört	Hon (f)	Slutför
Den/det (n)	Skulle slutföra	Den/det (n)	Skulle ha slutfört	Den/det (n)	Slutför
Vi	Skulle slutföra	Vi	Skulle ha slutfört	Vi	Slutför
Ni	Skulle slutföra	Ni	Skulle ha slutfört	Ni	Slutför
De	Skulle slutföra	De	Skulle ha slutfört	De	Slutför

To fly – att flyga

Present		Preteritum		Perfekt	
Jag	Flyger	Jag	Flög	Jag	Har flugit
Du	Flyger	Du	Flög	Du	Har flugit
Han (m)	Flyger	Han (m)	Flög	Han (m)	Har flugit
Hon (f)	Flyger	Hon (f)	Flög	Hon (f)	Har flugit
Den/det (n)	Flyger	Den/det (n)	Flög	Den/det (n)	Har flugit
Vi	Flyger	Vi	Flög	Vi	Har flugit
Ni	Flyger	Ni	Flög	Ni	Har flugit
De	Flyger	De	Flög	De	Har flugit

Pluskvamperfekt		Futurum 1		Futurum 2	
Jag	Hade flugit	Jag	Ska flyga	Jag	Kommer att flyga
Du	Hade flugit	Du	Ska flyga	Du	Kommer att flyga
Han (m)	Hade flugit	Han (m)	Ska flyga	Han (m)	Kommer att flyga
Hon (f)	Hade flugit	Hon (f)	Ska flyga	Hon (f)	Kommer att flyga
Den/det (n)	Hade flugit	Den/det (n)	Ska flyga	Den/det (n)	Kommer att flyga
Vi	Hade flugit	Vi	Ska flyga	Vi	Kommer att flyga
Ni	Hade flugit	Ni	Ska flyga	Ni	Kommer att flyga
De	Hade flugit	De	Ska flyga	De	Kommer att flyga

VERB MOODS					
Conditional 1		Conditional 2		Imperative	
Jag	Skulle flyga	Jag	Skulle ha flugit	Jag	Flyg
Du	Skulle flyga	Du	Skulle ha flugit	Du	Flyg
Han (m)	Skulle flyga	Han (m)	Skulle ha flugit	Han (m)	Flyg
Hon (f)	Skulle flyga	Hon (f)	Skulle ha flugit	Hon (f)	Flyg
Den/det (n)	Skulle flyga	Den/det (n)	Skulle ha flugit	Den/det (n)	Flyg
Vi	Skulle flyga	Vi	Skulle ha flugit	Vi	Flyg
Ni	Skulle flyga	Ni	Skulle ha flugit	Ni	Flyg
De	Skulle flyga	De	Skulle ha flugit	De	Flyg

To forget – att glömma

	Present		Preteritum		Perfekt
Jag	Glömmer	Jag	Glömde	Jag	Har glömt
Du	Glömmer	Du	Glömde	Du	Har glömt
Han (m)	Glömmer	Han (m)	Glömde	Han (m)	Har glömt
Hon (f)	Glömmer	Hon (f)	Glömde	Hon (f)	Har glömt
Den/det (n)	Glömmer	Den/det (n)	Glömde	Den/det (n)	Har glömt
Vi	Glömmer	Vi	Glömde	Vi	Har glömt
Ni	Glömmer	Ni	Glömde	Ni	Har glömt
De	Glömmer	De	Glömde	De	Har glömt

	Pluskvamperfekt		Futurum 1		Futurum 2
Jag	Hade glömt	Jag	Ska glömma	Jag	Kommer att glömma
Du	Hade glömt	Du	Ska glömma	Du	Kommer att glömma
Han (m)	Hade glömt	Han (m)	Ska glömma	Han (m)	Kommer att glömma
Hon (f)	Hade glömt	Hon (f)	Ska glömma	Hon (f)	Kommer att glömma
Den/det (n)	Hade glömt	Den/det (n)	Ska glömma	Den/det (n)	Kommer att glömma
Vi	Hade glömt	Vi	Ska glömma	Vi	Kommer att glömma
Ni	Hade glömt	Ni	Ska glömma	Ni	Kommer att glömma
De	Hade glömt	De	Ska glömma	De	Kommer att glömma

VERB MOODS					
	Conditional 1		Conditional 2		Imperative
Jag	Skulle glömma	Jag	Skulle ha glömt	Jag	Glöm
Du	Skulle glömma	Du	Skulle ha glömt	Du	Glöm
Han (m)	Skulle glömma	Han (m)	Skulle ha glömt	Han (m)	Glöm
Hon (f)	Skulle glömma	Hon (f)	Skulle ha glömt	Hon (f)	Glöm
Den/det (n)	Skulle glömma	Den/det (n)	Skulle ha glömt	Den/det (n)	Glöm
Vi	Skulle glömma	Vi	Skulle ha glömt	Vi	Glöm
Ni	Skulle glömma	Ni	Skulle ha glömt	Ni	Glöm
De	Skulle glömma	De	Skulle ha glömt	De	Glöm

To get up – att stiga upp

Present		Preteritum		Perfekt	
Jag	Stiger upp	Jag	Steg upp	Jag	Har stigit upp
Du	Stiger upp	Du	Steg upp	Du	Har stigit upp
Han (m)	Stiger upp	Han (m)	Steg upp	Han (m)	Har stigit upp
Hon (f)	Stiger upp	Hon (f)	Steg upp	Hon (f)	Har stigit upp
Den/det (n)	Stiger upp	Den/det (n)	Steg upp	Den/det (n)	Har stigit upp
Vi	Stiger upp	Vi	Steg upp	Vi	Har stigit upp
Ni	Stiger upp	Ni	Steg upp	Ni	Har stigit upp
De	Stiger upp	De	Steg upp	De	Har stigit upp

Pluskvamperfekt		Futurum 1		Futurum 2	
Jag	Hade stigit upp	Jag	Ska stiga upp	Jag	Kommer att stiga upp
Du	Hade stigit upp	Du	Ska stiga upp	Du	Kommer att stiga upp
Han (m)	Hade stigit upp	Han (m)	Ska stiga upp	Han (m)	Kommer att stiga upp
Hon (f)	Hade stigit upp	Hon (f)	Ska stiga upp	Hon (f)	Kommer att stiga upp
Den/det (n)	Hade stigit upp	Den/det (n)	Ska stiga upp	Den/det (n)	Kommer att stiga upp
Vi	Hade stigit upp	Vi	Ska stiga upp	Vi	Kommer att stiga upp
Ni	Hade stigit upp	Ni	Ska stiga upp	Ni	Kommer att stiga upp
De	Hade stigit upp	De	Ska stiga upp	De	Kommer att stiga upp

VERB MOODS					
Conditional 1		Conditional 2		Imperative	
Jag	Skulle stiga upp	Jag	Skulle ha stigit upp	Jag	Stig upp
Du	Skulle stiga upp	Du	Skulle ha stigit upp	Du	Stig upp
Han (m)	Skulle stiga upp	Han (m)	Skulle ha stigit upp	Han (m)	Stig upp
Hon (f)	Skulle stiga upp	Hon (f)	Skulle ha stigit upp	Hon (f)	Stig upp
Den/det (n)	Skulle stiga upp	Den/det (n)	Skulle ha stigit upp	Den/det (n)	Stig upp
Vi	Skulle stiga upp	Vi	Skulle ha stigit upp	Vi	Stig upp
Ni	Skulle stiga upp	Ni	Skulle ha stigit upp	Ni	Stig upp
De	Skulle stiga upp	De	Skulle ha stigit upp	De	Stig upp

To give – att ge

Present		Preteritum		Perfekt	
Jag	Ger	Jag	Gav	Jag	Har gett/givit
Du	Ger	Du	Gav	Du	Har gett/givit
Han (m)	Ger	Han (m)	Gav	Han (m)	Har gett/givit
Hon (f)	Ger	Hon (f)	Gav	Hon (f)	Har gett/givit
Den/det (n)	Ger	Den/det (n)	Gav	Den/det (n)	Har gett/givit
Vi	Ger	Vi	Gav	Vi	Har gett/givit
Ni	Ger	Ni	Gav	Ni	Har gett/givit
De	Ger	De	Gav	De	Har gett/givit

Pluskvamperfekt		Futurum 1		Futurum 2	
Jag	Hade gett/givit	Jag	Ska ge	Jag	Kommer att ge
Du	Hade gett/givit	Du	Ska ge	Du	Kommer att ge
Han (m)	Hade gett/givit	Han (m)	Ska ge	Han (m)	Kommer att ge
Hon (f)	Hade gett/givit	Hon (f)	Ska ge	Hon (f)	Kommer att ge
Den/det (n)	Hade gett/givit	Den/det (n)	Ska ge	Den/det (n)	Kommer att ge
Vi	Hade gett/givit	Vi	Ska ge	Vi	Kommer att ge
Ni	Hade gett/givit	Ni	Ska ge	Ni	Kommer att ge
De	Hade gett/givit	De	Ska ge	De	Kommer att ge

VERB MOODS					
Conditional 1		Conditional 2		Imperative	
Jag	Skulle ge	Jag	Skulle ha gett/givit	Jag	Ge
Du	Skulle ge	Du	Skulle ha gett/givit	Du	Ge
Han (m)	Skulle ge	Han (m)	Skulle ha gett/givit	Han (m)	Ge
Hon (f)	Skulle ge	Hon (f)	Skulle ha gett/givit	Hon (f)	Ge
Den/det (n)	Skulle ge	Den/det (n)	Skulle ha gett/givit	Den/det (n)	Ge
Vi	Skulle ge	Vi	Skulle ha gett/givit	Vi	Ge
Ni	Skulle ge	Ni	Skulle ha gett/givit	Ni	Ge
De	Skulle ge	De	Skulle ha gett/givit	De	Ge

To go – att gå

Present		Preteritum		Perfekt	
Jag	Går	Jag	Gick	Jag	Har gått
Du	Går	Du	Gick	Du	Har gått
Han (m)	Går	Han (m)	Gick	Han (m)	Har gått
Hon (f)	Går	Hon (f)	Gick	Hon (f)	Har gått
Den/det (n)	Går	Den/det (n)	Gick	Den/det (n)	Har gått
Vi	Går	Vi	Gick	Vi	Har gått
Ni	Går	Ni	Gick	Ni	Har gått
De	Går	De	Gick	De	Har gått

Pluskvamperfekt		Futurum 1		Futurum 2	
Jag	Hade gått	Jag	Ska gå	Jag	Kommer att gå
Du	Hade gått	Du	Ska gå	Du	Kommer att gå
Han (m)	Hade gått	Han (m)	Ska gå	Han (m)	Kommer att gå
Hon (f)	Hade gått	Hon (f)	Ska gå	Hon (f)	Kommer att gå
Den/det (n)	Hade gått	Den/det (n)	Ska gå	Den/det (n)	Kommer att gå
Vi	Hade gått	Vi	Ska gå	Vi	Kommer att gå
Ni	Hade gått	Ni	Ska gå	Ni	Kommer att gå
De	Hade gått	De	Ska gå	De	Kommer att gå

VERB MOODS					
Conditional 1		Conditional 2		Imperative	
Jag	Skulle gå	Jag	Skulle ha gått	Jag	Gå
Du	Skulle gå	Du	Skulle ha gått	Du	Gå
Han (m)	Skulle gå	Han (m)	Skulle ha gått	Han (m)	Gå
Hon (f)	Skulle gå	Hon (f)	Skulle ha gått	Hon (f)	Gå
Den/det (n)	Skulle gå	Den/det (n)	Skulle ha gått	Den/det (n)	Gå
Vi	Skulle gå	Vi	Skulle ha gått	Vi	Gå
Ni	Skulle gå	Ni	Skulle ha gått	Ni	Gå
De	Skulle gå	De	Skulle ha gått	De	Gå

To happen – att hända

Present		Preteritum		Perfekt	
Jag	Händer	Jag	Hände	Jag	Har hänt
Du	Händer	Du	Hände	Du	Har hänt
Han (m)	Händer	Han (m)	Hände	Han (m)	Har hänt
Hon (f)	Händer	Hon (f)	Hände	Hon (f)	Har hänt
Den/det (n)	Händer	Den/det (n)	Hände	Den/det (n)	Har hänt
Vi	Händer	Vi	Hände	Vi	Har hänt
Ni	Händer	Ni	Hände	Ni	Har hänt
De	Händer	De	Hände	De	Har hänt

Pluskvamperfekt		Futurum 1		Futurum 2	
Jag	Hade hänt	Jag	Ska hända	Jag	Kommer att hända
Du	Hade hänt	Du	Ska hända	Du	Kommer att hända
Han (m)	Hade hänt	Han (m)	Ska hända	Han (m)	Kommer att hända
Hon (f)	Hade hänt	Hon (f)	Ska hända	Hon (f)	Kommer att hända
Den/det (n)	Hade hänt	Den/det (n)	Ska hända	Den/det (n)	Kommer att hända
Vi	Hade hänt	Vi	Ska hända	Vi	Kommer att hända
Ni	Hade hänt	Ni	Ska hända	Ni	Kommer att hända
De	Hade hänt	De	Ska hända	De	Kommer att hända

VERB MOODS					
Conditional 1		Conditional 2		Imperative	
Jag	Skulle hända	Jag	Skulle ha hänt	Jag	Händ
Du	Skulle hända	Du	Skulle ha hänt	Du	Händ
Han (m)	Skulle hända	Han (m)	Skulle ha hänt	Han (m)	Händ
Hon (f)	Skulle hända	Hon (f)	Skulle ha hänt	Hon (f)	Händ
Den/det (n)	Skulle hända	Den/det (n)	Skulle ha hänt	Den/det (n)	Händ
Vi	Skulle hända	Vi	Skulle ha hänt	Vi	Händ
Ni	Skulle hända	Ni	Skulle ha hänt	Ni	Händ
De	Skulle hända	De	Skulle ha hänt	De	Händ

To have – att ha

	Present		Preteritum		Perfekt
Jag	Har	Jag	Hade	Jag	Har haft
Du	Har	Du	Hade	Du	Har haft
Han (m)	Har	Han (m)	Hade	Han (m)	Har haft
Hon (f)	Har	Hon (f)	Hade	Hon (f)	Har haft
Den/det (n)	Har	Den/det (n)	Hade	Den/det (n)	Har haft
Vi	Har	Vi	Hade	Vi	Har haft
Ni	Har	Ni	Hade	Ni	Har haft
De	Har	De	Hade	De	Har haft

	Pluskvamperfekt		Futurum 1		Futurum 2
Jag	Hade haft	Jag	Ska ha	Jag	Kommer att ha
Du	Hade haft	Du	Ska ha	Du	Kommer att ha
Han (m)	Hade haft	Han (m)	Ska ha	Han (m)	Kommer att ha
Hon (f)	Hade haft	Hon (f)	Ska ha	Hon (f)	Kommer att ha
Den/det (n)	Hade haft	Den/det (n)	Ska ha	Den/det (n)	Kommer att ha
Vi	Hade haft	Vi	Ska ha	Vi	Kommer att ha
Ni	Hade haft	Ni	Ska ha	Ni	Kommer att ha
De	Hade haft	De	Ska ha	De	Kommer att ha

VERB MOODS					
	Conditional 1		Conditional 2		Imperative
Jag	Skulle ha	Jag	Skulle ha haft	Jag	Ha
Du	Skulle ha	Du	Skulle ha haft	Du	Ha
Han (m)	Skulle ha	Han (m)	Skulle ha haft	Han (m)	Ha
Hon (f)	Skulle ha	Hon (f)	Skulle ha haft	Hon (f)	Ha
Den/det (n)	Skulle ha	Den/det (n)	Skulle ha haft	Den/det (n)	Ha
Vi	Skulle ha	Vi	Skulle ha haft	Vi	Ha
Ni	Skulle ha	Ni	Skulle ha haft	Ni	Ha
De	Skulle ha	De	Skulle ha haft	De	Ha

To hear – att höra

Present		Preteritum		Perfekt	
Jag	Hör	Jag	Hörde	Jag	Har hört
Du	Hör	Du	Hörde	Du	Har hört
Han (m)	Hör	Han (m)	Hörde	Han (m)	Har hört
Hon (f)	Hör	Hon (f)	Hörde	Hon (f)	Har hört
Den/det (n)	Hör	Den/det (n)	Hörde	Den/det (n)	Har hört
Vi	Hör	Vi	Hörde	Vi	Har hört
Ni	Hör	Ni	Hörde	Ni	Har hört
De	Hör	De	Hörde	De	Har hört

Pluskvamperfekt		Futurum 1		Futurum 2	
Jag	Hade hört	Jag	Ska höra	Jag	Kommer att höra
Du	Hade hört	Du	Ska höra	Du	Kommer att höra
Han (m)	Hade hört	Han (m)	Ska höra	Han (m)	Kommer att höra
Hon (f)	Hade hört	Hon (f)	Ska höra	Hon (f)	Kommer att höra
Den/det (n)	Hade hört	Den/det (n)	Ska höra	Den/det (n)	Kommer att höra
Vi	Hade hört	Vi	Ska höra	Vi	Kommer att höra
Ni	Hade hört	Ni	Ska höra	Ni	Kommer att höra
De	Hade hört	De	Ska höra	De	Kommer att höra

VERB MOODS					
Conditional 1		Conditional 2		Imperative	
Jag	Skulle höra	Jag	Skulle ha hört	Jag	Hör
Du	Skulle höra	Du	Skulle ha hört	Du	Hör
Han (m)	Skulle höra	Han (m)	Skulle ha hört	Han (m)	Hör
Hon (f)	Skulle höra	Hon (f)	Skulle ha hört	Hon (f)	Hör
Den/det (n)	Skulle höra	Den/det (n)	Skulle ha hört	Den/det (n)	Hör
Vi	Skulle höra	Vi	Skulle ha hört	Vi	Hör
Ni	Skulle höra	Ni	Skulle ha hört	Ni	Hör
De	Skulle höra	De	Skulle ha hört	De	Hör

To help – att hjälpa

Present		Preteritum		Perfekt	
Jag	Hjälper	Jag	Hjälpte	Jag	Har hjälpt
Du	Hjälper	Du	Hjälpte	Du	Har hjälpt
Han (m)	Hjälper	Han (m)	Hjälpte	Han (m)	Har hjälpt
Hon (f)	Hjälper	Hon (f)	Hjälpte	Hon (f)	Har hjälpt
Den/det (n)	Hjälper	Den/det (n)	Hjälpte	Den/det (n)	Har hjälpt
Vi	Hjälper	Vi	Hjälpte	Vi	Har hjälpt
Ni	Hjälper	Ni	Hjälpte	Ni	Har hjälpt
De	Hjälper	De	Hjälpte	De	Har hjälpt

Pluskvamperfekt		Futurum 1		Futurum 2	
Jag	Hade hjälpt	Jag	Ska hjälpa	Jag	Kommer att hjälpa
Du	Hade hjälpt	Du	Ska hjälpa	Du	Kommer att hjälpa
Han (m)	Hade hjälpt	Han (m)	Ska hjälpa	Han (m)	Kommer att hjälpa
Hon (f)	Hade hjälpt	Hon (f)	Ska hjälpa	Hon (f)	Kommer att hjälpa
Den/det (n)	Hade hjälpt	Den/det (n)	Ska hjälpa	Den/det (n)	Kommer att hjälpa
Vi	Hade hjälpt	Vi	Ska hjälpa	Vi	Kommer att hjälpa
Ni	Hade hjälpt	Ni	Ska hjälpa	Ni	Kommer att hjälpa
De	Hade hjälpt	De	Ska hjälpa	De	Kommer att hjälpa

VERB MOODS					
Conditional 1		Conditional 2		Imperative	
Jag	Skulle hjälpa	Jag	Skulle ha hjälpt	Jag	Hjälp
Du	Skulle hjälpa	Du	Skulle ha hjälpt	Du	Hjälp
Han (m)	Skulle hjälpa	Han (m)	Skulle ha hjälpt	Han (m)	Hjälp
Hon (f)	Skulle hjälpa	Hon (f)	Skulle ha hjälpt	Hon (f)	Hjälp
Den/det (n)	Skulle hjälpa	Den/det (n)	Skulle ha hjälpt	Den/det (n)	Hjälp
Vi	Skulle hjälpa	Vi	Skulle ha hjälpt	Vi	Hjälp
Ni	Skulle hjälpa	Ni	Skulle ha hjälpt	Ni	Hjälp
De	Skulle hjälpa	De	Skulle ha hjälpt	De	Hjälp

To hold – att hålla

Present		Preteritum		Perfekt	
Jag	Håller	Jag	Höll	Jag	Har hållt
Du	Håller	Du	Höll	Du	Har hållt
Han (m)	Håller	Han (m)	Höll	Han (m)	Har hållt
Hon (f)	Håller	Hon (f)	Höll	Hon (f)	Har hållt
Den/det (n)	Håller	Den/det (n)	Höll	Den/det (n)	Har hållt
Vi	Håller	Vi	Höll	Vi	Har hållt
Ni	Håller	Ni	Höll	Ni	Har hållt
De	Håller	De	Höll	De	Har hållt

Pluskvamperfekt		Futurum 1		Futurum 2	
Jag	Hade hållt	Jag	Ska hålla	Jag	Kommer att hålla
Du	Hade hållt	Du	Ska hålla	Du	Kommer att hålla
Han (m)	Hade hållt	Han (m)	Ska hålla	Han (m)	Kommer att hålla
Hon (f)	Hade hållt	Hon (f)	Ska hålla	Hon (f)	Kommer att hålla
Den/det (n)	Hade hållt	Den/det (n)	Ska hålla	Den/det (n)	Kommer att hålla
Vi	Hade hållt	Vi	Ska hålla	Vi	Kommer att hålla
Ni	Hade hållt	Ni	Ska hålla	Ni	Kommer att hålla
De	Hade hållt	De	Ska hålla	De	Kommer att hålla

VERB MOODS					
Conditional 1		Conditional 2		Imperative	
Jag	Skulle hålla	Jag	Skulle ha hållt	Jag	Håll
Du	Skulle hålla	Du	Skulle ha hållt	Du	Håll
Han (m)	Skulle hålla	Han (m)	Skulle ha hållt	Han (m)	Håll
Hon (f)	Skulle hålla	Hon (f)	Skulle ha hållt	Hon (f)	Håll
Den/det (n)	Skulle hålla	Den/det (n)	Skulle ha hållt	Den/det (n)	Håll
Vi	Skulle hålla	Vi	Skulle ha hållt	Vi	Håll
Ni	Skulle hålla	Ni	Skulle ha hållt	Ni	Håll
De	Skulle hålla	De	Skulle ha hållt	De	Håll

To increase – att öka

Present		Preteritum		Perfekt	
Jag	Ökar	Jag	Ökade	Jag	Har ökat
Du	Ökar	Du	Ökade	Du	Har ökat
Han (m)	Ökar	Han (m)	Ökade	Han (m)	Har ökat
Hon (f)	Ökar	Hon (f)	Ökade	Hon (f)	Har ökat
Den/det (n)	Ökar	Den/det (n)	Ökade	Den/det (n)	Har ökat
Vi	Ökar	Vi	Ökade	Vi	Har ökat
Ni	Ökar	Ni	Ökade	Ni	Har ökat
De	Ökar	De	Ökade	De	Har ökat

Pluskvamperfekt		Futurum 1		Futurum 2	
Jag	Hade ökat	Jag	Ska öka	Jag	Kommer att öka
Du	Hade ökat	Du	Ska öka	Du	Kommer att öka
Han (m)	Hade ökat	Han (m)	Ska öka	Han (m)	Kommer att öka
Hon (f)	Hade ökat	Hon (f)	Ska öka	Hon (f)	Kommer att öka
Den/det (n)	Hade ökat	Den/det (n)	Ska öka	Den/det (n)	Kommer att öka
Vi	Hade ökat	Vi	Ska öka	Vi	Kommer att öka
Ni	Hade ökat	Ni	Ska öka	Ni	Kommer att öka
De	Hade ökat	De	Ska öka	De	Kommer att öka

VERB MOODS					
Conditional 1		Conditional 2		Imperative	
Jag	Skulle öka	Jag	Skulle ha ökat	Jag	Öka
Du	Skulle öka	Du	Skulle ha ökat	Du	Öka
Han (m)	Skulle öka	Han (m)	Skulle ha ökat	Han (m)	Öka
Hon (f)	Skulle öka	Hon (f)	Skulle ha ökat	Hon (f)	Öka
Den/det (n)	Skulle öka	Den/det (n)	Skulle ha ökat	Den/det (n)	Öka
Vi	Skulle öka	Vi	Skulle ha ökat	Vi	Öka
Ni	Skulle öka	Ni	Skulle ha ökat	Ni	Öka
De	Skulle öka	De	Skulle ha ökat	De	Öka

To introduce – att introducera

Present		Preteritum		Perfekt	
Jag	Introducerar	Jag	Introducerade	Jag	Har introducerat
Du	Introducerar	Du	Introducerade	Du	Har introducerat
Han (m)	Introducerar	Han (m)	Introducerade	Han (m)	Har introducerat
Hon (f)	Introducerar	Hon (f)	Introducerade	Hon (f)	Har introducerat
Den/det (n)	Introducerar	Den/det (n)	Introducerade	Den/det (n)	Har introducerat
Vi	Introducerar	Vi	Introducerade	Vi	Har introducerat
Ni	Introducerar	Ni	Introducerade	Ni	Har introducerat
De	Introducerar	De	Introducerade	De	Har introducerat

Pluskvamperfekt		Futurum 1		Futurum 2	
Jag	Hade introducerat	Jag	Ska introducera	Jag	Kommer att introducera
Du	Hade introducerat	Du	Ska introducera	Du	Kommer att introducera
Han (m)	Hade introducerat	Han (m)	Ska introducera	Han (m)	Kommer att introducera
Hon (f)	Hade introducerat	Hon (f)	Ska introducera	Hon (f)	Kommer att introducera
Den/det (n)	Hade introducerat	Den/det (n)	Ska introducera	Den/det (n)	Kommer att introducera
Vi	Hade introducerat	Vi	Ska introducera	Vi	Kommer att introducera
Ni	Hade introducerat	Ni	Ska introducera	Ni	Kommer att introducera
De	Hade introducerat	De	Ska introducera	De	Kommer att introducera

VERB MOODS					
Conditional 1		Conditional 2		Imperative	
Jag	Skulle introducera	Jag	Skulle ha introducerat	Jag	Introducera
Du	Skulle introducera	Du	Skulle ha introducerat	Du	Introducera
Han (m)	Skulle introducera	Han (m)	Skulle ha introducerat	Han (m)	Introducera
Hon (f)	Skulle introducera	Hon (f)	Skulle ha introducerat	Hon (f)	Introducera
Den/det (n)	Skulle introducera	Den/det (n)	Skulle ha introducerat	Den/det (n)	Introducera
Vi	Skulle introducera	Vi	Skulle ha introducerat	Vi	Introducera
Ni	Skulle introducera	Ni	Skulle ha introducerat	Ni	Introducera
De	Skulle introducera	De	Skulle ha introducerat	De	Introducera

To invite – att bjuda in

Present		Preteritum		Perfekt	
Jag	Bjuder in	Jag	Bjöd in	Jag	Har bjudit in
Du	Bjuder in	Du	Bjöd in	Du	Har bjudit in
Han (m)	Bjuder in	Han (m)	Bjöd in	Han (m)	Har bjudit in
Hon (f)	Bjuder in	Hon (f)	Bjöd in	Hon (f)	Har bjudit in
Den/det (n)	Bjuder in	Den/det (n)	Bjöd in	Den/det (n)	Har bjudit in
Vi	Bjuder in	Vi	Bjöd in	Vi	Har bjudit in
Ni	Bjuder in	Ni	Bjöd in	Ni	Har bjudit in
De	Bjuder in	De	Bjöd in	De	Har bjudit in

Pluskvamperfekt		Futurum 1		Futurum 2	
Jag	Hade bjudit in	Jag	Ska bjuda in	Jag	Kommer att bjuda in
Du	Hade bjudit in	Du	Ska bjuda in	Du	Kommer att bjuda in
Han (m)	Hade bjudit in	Han (m)	Ska bjuda in	Han (m)	Kommer att bjuda in
Hon (f)	Hade bjudit in	Hon (f)	Ska bjuda in	Hon (f)	Kommer att bjuda in
Den/det (n)	Hade bjudit in	Den/det (n)	Ska bjuda in	Den/det (n)	Kommer att bjuda in
Vi	Hade bjudit in	Vi	Ska bjuda in	Vi	Kommer att bjuda in
Ni	Hade bjudit in	Ni	Ska bjuda in	Ni	Kommer att bjuda in
De	Hade bjudit in	De	Ska bjuda in	De	Kommer att bjuda in

VERB MOODS					
Conditional 1		Conditional 2		Imperative	
Jag	Skulle bjuda in	Jag	Skulla ha bjudit in	Jag	Bjud in
Du	Skulle bjuda in	Du	Skulla ha bjudit in	Du	Bjud in
Han (m)	Skulle bjuda in	Han (m)	Skulla ha bjudit in	Han (m)	Bjud in
Hon (f)	Skulle bjuda in	Hon (f)	Skulla ha bjudit in	Hon (f)	Bjud in
Den/det (n)	Skulle bjuda in	Den/det (n)	Skulla ha bjudit in	Den/det (n)	Bjud in
Vi	Skulle bjuda in	Vi	Skulla ha bjudit in	Vi	Bjud in
Ni	Skulle bjuda in	Ni	Skulla ha bjudit in	Ni	Bjud in
De	Skulle bjuda in	De	Skulla ha bjudit in	De	Bjud in

To kill – att döda

Present		Preteritum		Perfekt	
Jag	Dödar	Jag	Dödade	Jag	Har dödat
Du	Dödar	Du	Dödade	Du	Har dödat
Han (m)	Dödar	Han (m)	Dödade	Han (m)	Har dödat
Hon (f)	Dödar	Hon (f)	Dödade	Hon (f)	Har dödat
Den/det (n)	Dödar	Den/det (n)	Dödade	Den/det (n)	Har dödat
Vi	Dödar	Vi	Dödade	Vi	Har dödat
Ni	Dödar	Ni	Dödade	Ni	Har dödat
De	Dödar	De	Dödade	De	Har dödat

Pluskvamperfekt		Futurum 1		Futurum 2	
Jag	Hade dödat	Jag	Ska döda	Jag	Kommer att döda
Du	Hade dödat	Du	Ska döda	Du	Kommer att döda
Han (m)	Hade dödat	Han (m)	Ska döda	Han (m)	Kommer att döda
Hon (f)	Hade dödat	Hon (f)	Ska döda	Hon (f)	Kommer att döda
Den/det (n)	Hade dödat	Den/det (n)	Ska döda	Den/det (n)	Kommer att döda
Vi	Hade dödat	Vi	Ska döda	Vi	Kommer att döda
Ni	Hade dödat	Ni	Ska döda	Ni	Kommer att döda
De	Hade dödat	De	Ska döda	De	Kommer att döda

VERB MOODS					
Conditional 1		Conditional 2		Imperative	
Jag	Skulle döda	Jag	Skulle ha dödat	Jag	Döda
Du	Skulle döda	Du	Skulle ha dödat	Du	Döda
Han (m)	Skulle döda	Han (m)	Skulle ha dödat	Han (m)	Döda
Hon (f)	Skulle döda	Hon (f)	Skulle ha dödat	Hon (f)	Döda
Den/det (n)	Skulle döda	Den/det (n)	Skulle ha dödat	Den/det (n)	Döda
Vi	Skulle döda	Vi	Skulle ha dödat	Vi	Döda
Ni	Skulle döda	Ni	Skulle ha dödat	Ni	Döda
De	Skulle döda	De	Skulle ha dödat	De	Döda

To kiss – att kyssa

Present		Preteritum		Perfekt	
Jag	Kysser	Jag	Kysste	Jag	Har kysst
Du	Kysser	Du	Kysste	Du	Har kysst
Han (m)	Kysser	Han (m)	Kysste	Han (m)	Har kysst
Hon (f)	Kysser	Hon (f)	Kysste	Hon (f)	Har kysst
Den/det (n)	Kysser	Den/det (n)	Kysste	Den/det (n)	Har kysst
Vi	Kysser	Vi	Kysste	Vi	Har kysst
Ni	Kysser	Ni	Kysste	Ni	Har kysst
De	Kysser	De	Kysste	De	Har kysst

Pluskvamperfekt		Futurum 1		Futurum 2	
Jag	Hade kysst	Jag	Ska kyssa	Jag	Kommer att kyssa
Du	Hade kysst	Du	Ska kyssa	Du	Kommer att kyssa
Han (m)	Hade kysst	Han (m)	Ska kyssa	Han (m)	Kommer att kyssa
Hon (f)	Hade kysst	Hon (f)	Ska kyssa	Hon (f)	Kommer att kyssa
Den/det (n)	Hade kysst	Den/det (n)	Ska kyssa	Den/det (n)	Kommer att kyssa
Vi	Hade kysst	Vi	Ska kyssa	Vi	Kommer att kyssa
Ni	Hade kysst	Ni	Ska kyssa	Ni	Kommer att kyssa
De	Hade kysst	De	Ska kyssa	De	Kommer att kyssa

VERB MOODS					
Conditional 1		Conditional 2		Imperative	
Jag	Skulle kyssa	Jag	Skulle ha kysst	Jag	Kyss
Du	Skulle kyssa	Du	Skulle ha kysst	Du	Kyss
Han (m)	Skulle kyssa	Han (m)	Skulle ha kysst	Han (m)	Kyss
Hon (f)	Skulle kyssa	Hon (f)	Skulle ha kysst	Hon (f)	Kyss
Den/det (n)	Skulle kyssa	Den/det (n)	Skulle ha kysst	Den/det (n)	Kyss
Vi	Skulle kyssa	Vi	Skulle ha kysst	Vi	Kyss
Ni	Skulle kyssa	Ni	Skulle ha kysst	Ni	Kyss
De	Skulle kyssa	De	Skulle ha kysst	De	Kyss

To know – att veta

Present		Preteritum		Perfekt	
Jag	Vet	Jag	Visste	Jag	Har vetat
Du	Vet	Du	Visste	Du	Har vetat
Han (m)	Vet	Han (m)	Visste	Han (m)	Har vetat
Hon (f)	Vet	Hon (f)	Visste	Hon (f)	Har vetat
Den/det (n)	Vet	Den/det (n)	Visste	Den/det (n)	Har vetat
Vi	Vet	Vi	Visste	Vi	Har vetat
Ni	Vet	Ni	Visste	Ni	Har vetat
De	Vet	De	Visste	De	Har vetat

Pluskvamperfekt		Futurum 1		Futurum 2	
Jag	Hade vetat	Jag	Ska veta	Jag	Kommer att veta
Du	Hade vetat	Du	Ska veta	Du	Kommer att veta
Han (m)	Hade vetat	Han (m)	Ska veta	Han (m)	Kommer att veta
Hon (f)	Hade vetat	Hon (f)	Ska veta	Hon (f)	Kommer att veta
Den/det (n)	Hade vetat	Den/det (n)	Ska veta	Den/det (n)	Kommer att veta
Vi	Hade vetat	Vi	Ska veta	Vi	Kommer att veta
Ni	Hade vetat	Ni	Ska veta	Ni	Kommer att veta
De	Hade vetat	De	Ska veta	De	Kommer att veta

VERB MOODS					
Conditional 1		Conditional 2		Imperative	
Jag	Skulle veta	Jag	Skulle ha vetat	Jag	Vet
Du	Skulle veta	Du	Skulle ha vetat	Du	Vet
Han (m)	Skulle veta	Han (m)	Skulle ha vetat	Han (m)	Vet
Hon (f)	Skulle veta	Hon (f)	Skulle ha vetat	Hon (f)	Vet
Den/det (n)	Skulle veta	Den/det (n)	Skulle ha vetat	Den/det (n)	Vet
Vi	Skulle veta	Vi	Skulle ha vetat	Vi	Vet
Ni	Skulle veta	Ni	Skulle ha vetat	Ni	Vet
De	Skulle veta	De	Skulle ha vetat	De	Vet

To laugh – att skratta

Present		Preteritum		Perfekt	
Jag	Skrattar	Jag	Skrattade	Jag	Har skrattat
Du	Skrattar	Du	Skrattade	Du	Har skrattat
Han (m)	Skrattar	Han (m)	Skrattade	Han (m)	Har skrattat
Hon (f)	Skrattar	Hon (f)	Skrattade	Hon (f)	Har skrattat
Den/det (n)	Skrattar	Den/det (n)	Skrattade	Den/det (n)	Har skrattat
Vi	Skrattar	Vi	Skrattade	Vi	Har skrattat
Ni	Skrattar	Ni	Skrattade	Ni	Har skrattat
De	Skrattar	De	Skrattade	De	Har skrattat

Pluskvamperfekt		Futurum 1		Futurum 2	
Jag	Hade skrattat	Jag	Ska skratta	Jag	Kommer att skratta
Du	Hade skrattat	Du	Ska skratta	Du	Kommer att skratta
Han (m)	Hade skrattat	Han (m)	Ska skratta	Han (m)	Kommer att skratta
Hon (f)	Hade skrattat	Hon (f)	Ska skratta	Hon (f)	Kommer att skratta
Den/det (n)	Hade skrattat	Den/det (n)	Ska skratta	Den/det (n)	Kommer att skratta
Vi	Hade skrattat	Vi	Ska skratta	Vi	Kommer att skratta
Ni	Hade skrattat	Ni	Ska skratta	Ni	Kommer att skratta
De	Hade skrattat	De	Ska skratta	De	Kommer att skratta

VERB MOODS					
Conditional 1		Conditional 2		Imperative	
Jag	Skulle skratta	Jag	Skulle ha skrattat	Jag	Skratta
Du	Skulle skratta	Du	Skulle ha skrattat	Du	Skratta
Han (m)	Skulle skratta	Han (m)	Skulle ha skrattat	Han (m)	Skratta
Hon (f)	Skulle skratta	Hon (f)	Skulle ha skrattat	Hon (f)	Skratta
Den/det (n)	Skulle skratta	Den/det (n)	Skulle ha skrattat	Den/det (n)	Skratta
Vi	Skulle skratta	Vi	Skulle ha skrattat	Vi	Skratta
Ni	Skulle skratta	Ni	Skulle ha skrattat	Ni	Skratta
De	Skulle skratta	De	Skulle ha skrattat	De	Skratta

To learn – att lära

Present		Preteritum		Perfekt	
Jag	Lär	Jag	Lärde	Jag	Har lärt
Du	Lär	Du	Lärde	Du	Har lärt
Han (m)	Lär	Han (m)	Lärde	Han (m)	Har lärt
Hon (f)	Lär	Hon (f)	Lärde	Hon (f)	Har lärt
Den/det (n)	Lär	Den/det (n)	Lärde	Den/det (n)	Har lärt
Vi	Lär	Vi	Lärde	Vi	Har lärt
Ni	Lär	Ni	Lärde	Ni	Har lärt
De	Lär	De	Lärde	De	Har lärt

Pluskvamperfekt		Futurum 1		Futurum 2	
Jag	Hade lärt	Jag	Ska lära	Jag	Kommer att lära
Du	Hade lärt	Du	Ska lära	Du	Kommer att lära
Han (m)	Hade lärt	Han (m)	Ska lära	Han (m)	Kommer att lära
Hon (f)	Hade lärt	Hon (f)	Ska lära	Hon (f)	Kommer att lära
Den/det (n)	Hade lärt	Den/det (n)	Ska lära	Den/det (n)	Kommer att lära
Vi	Hade lärt	Vi	Ska lära	Vi	Kommer att lära
Ni	Hade lärt	Ni	Ska lära	Ni	Kommer att lära
De	Hade lärt	De	Ska lära	De	Kommer att lära

VERB MOODS					
Conditional 1		Conditional 2		Imperative	
Jag	Skulle lära	Jag	Skulle ha lärt	Jag	Lär
Du	Skulle lära	Du	Skulle ha lärt	Du	Lär
Han (m)	Skulle lära	Han (m)	Skulle ha lärt	Han (m)	Lär
Hon (f)	Skulle lära	Hon (f)	Skulle ha lärt	Hon (f)	Lär
Den/det (n)	Skulle lära	Den/det (n)	Skulle ha lärt	Den/det (n)	Lär
Vi	Skulle lära	Vi	Skulle ha lärt	Vi	Lär
Ni	Skulle lära	Ni	Skulle ha lärt	Ni	Lär
De	Skulle lära	De	Skulle ha lärt	De	Lär

To lie down – att lägga sig ner

Present		Preteritum		Perfekt	
Jag	Lägger mig ner	Jag	Lade mig ner	Jag	Har lagt mig ner
Du	Lägger dig ner	Du	Lade dig ner	Du	Har lagt dig ner
Han (m)	Lägger sig ner	Han (m)	Lade sig ner	Han (m)	Har lagt sig ner
Hon (f)	Lägger sig ner	Hon (f)	Lade sig ner	Hon (f)	Har lagt sig ner
Den/det (n)	Lägger sig ner	Den/det (n)	Lade sig ner	Den/det (n)	Har lagt sig ner
Vi	Lägger oss ner	Vi	Lade oss ner	Vi	Har lagt oss ner
Ni	Lägger er ner	Ni	Lade er ner	Ni	Har lagt er ner
De	Lägger sig ner	De	Lade sig ner	De	Har lagt sig ner

Pluskvamperfekt		Futurum 1		Futurum 2	
Jag	Hade lagt mig ner	Jag	Ska lägga mig ner	Jag	Kommer att lägga mig ner
Du	Hade lagt dig ner	Du	Ska lägga dig ner	Du	Kommer att lägga dig ner
Han (m)	Hade lagt sig ner	Han (m)	Ska lägga sig ner	Han (m)	Kommer att lägga sig ner
Hon (f)	Hade lagt sig ner	Hon (f)	Ska lägga sig ner	Hon (f)	Kommer att lägga sig ner
Den/det (n)	Hade lagt sig ner	Den/det (n)	Ska lägga sig ner	Den/det (n)	Kommer att lägga sig ner
Vi	Hade lagt oss ner	Vi	Ska lägga oss ner	Vi	Kommer att lägga oss ner
Ni	Hade lagt er ner	Ni	Ska lägga er ner	Ni	Kommer att lägga er ner
De	Hade lagt sig ner	De	Ska lägga sig ner	De	Kommer att lägga sig ner

VERB MOODS

Conditional 1		Conditional 2		Imperative	
Jag	Skulle lägga mig ner	Jag	Skulle ha lagt mig ner	Jag	Lägg mig ner
Du	Skulle lägga dig ner	Du	Skulle ha lagt dig ner	Du	Lägg dig ner
Han (m)	Skulle lägga sig ner	Han (m)	Skulle ha lagt sig ner	Han (m)	Lägg dig ner
Hon (f)	Skulle lägga sig ner	Hon (f)	Skulle ha lagt sig ner	Hon (f)	Lägg dig ner
Den/det (n)	Skulle lägga sig ner	Den/det (n)	Skulle ha lagt sig ner	Den/det (n)	Lägg dig ner
Vi	Skulle lägga oss ner	Vi	Skulle ha lagt oss ner	Vi	Lägg oss ner
Ni	Skulle lägga er ner	Ni	Skulle ha lagt er ner	Ni	Lägg er ner
De	Skulle lägga sig ner	De	Skulle ha lagt sig ner	De	Lägg er ner

To like – att gilla

Present		Preteritum		Perfekt	
Jag	Gillar	Jag	Gillade	Jag	Har gillat
Du	Gillar	Du	Gillade	Du	Har gillat
Han (m)	Gillar	Han (m)	Gillade	Han (m)	Har gillat
Hon (f)	Gillar	Hon (f)	Gillade	Hon (f)	Har gillat
Den/det (n)	Gillar	Den/det (n)	Gillade	Den/det (n)	Har gillat
Vi	Gillar	Vi	Gillade	Vi	Har gillat
Ni	Gillar	Ni	Gillade	Ni	Har gillat
De	Gillar	De	Gillade	De	Har gillat

Pluskvamperfekt		Futurum 1		Futurum 2	
Jag	Hade gillat	Jag	Ska gilla	Jag	Kommer att gilla
Du	Hade gillat	Du	Ska gilla	Du	Kommer att gilla
Han (m)	Hade gillat	Han (m)	Ska gilla	Han (m)	Kommer att gilla
Hon (f)	Hade gillat	Hon (f)	Ska gilla	Hon (f)	Kommer att gilla
Den/det (n)	Hade gillat	Den/det (n)	Ska gilla	Den/det (n)	Kommer att gilla
Vi	Hade gillat	Vi	Ska gilla	Vi	Kommer att gilla
Ni	Hade gillat	Ni	Ska gilla	Ni	Kommer att gilla
De	Hade gillat	De	Ska gilla	De	Kommer att gilla

VERB MOODS					
Conditional 1		Conditional 2		Imperative	
Jag	Skulle gilla	Jag	Skulle ha gillat	Jag	Gilla
Du	Skulle gilla	Du	Skulle ha gillat	Du	Gilla
Han (m)	Skulle gilla	Han (m)	Skulle ha gillat	Han (m)	Gilla
Hon (f)	Skulle gilla	Hon (f)	Skulle ha gillat	Hon (f)	Gilla
Den/det (n)	Skulle gilla	Den/det (n)	Skulle ha gillat	Den/det (n)	Gilla
Vi	Skulle gilla	Vi	Skulle ha gillat	Vi	Gilla
Ni	Skulle gilla	Ni	Skulle ha gillat	Ni	Gilla
De	Skulle gilla	De	Skulle ha gillat	De	Gilla

To listen – att lyssna

Present		Preteritum		Perfekt	
Jag	Lyssnar	Jag	Lyssnade	Jag	Har lyssnat
Du	Lyssnar	Du	Lyssnade	Du	Har lyssnat
Han (m)	Lyssnar	Han (m)	Lyssnade	Han (m)	Har lyssnat
Hon (f)	Lyssnar	Hon (f)	Lyssnade	Hon (f)	Har lyssnat
Den/det (n)	Lyssnar	Den/det (n)	Lyssnade	Den/det (n)	Har lyssnat
Vi	Lyssnar	Vi	Lyssnade	Vi	Har lyssnat
Ni	Lyssnar	Ni	Lyssnade	Ni	Har lyssnat
De	Lyssnar	De	Lyssnade	De	Har lyssnat

Pluskvamperfekt		Futurum 1		Futurum 2	
Jag	Hade lyssnat	Jag	Ska lyssna	Jag	Kommer att lyssna
Du	Hade lyssnat	Du	Ska lyssna	Du	Kommer att lyssna
Han (m)	Hade lyssnat	Han (m)	Ska lyssna	Han (m)	Kommer att lyssna
Hon (f)	Hade lyssnat	Hon (f)	Ska lyssna	Hon (f)	Kommer att lyssna
Den/det (n)	Hade lyssnat	Den/det (n)	Ska lyssna	Den/det (n)	Kommer att lyssna
Vi	Hade lyssnat	Vi	Ska lyssna	Vi	Kommer att lyssna
Ni	Hade lyssnat	Ni	Ska lyssna	Ni	Kommer att lyssna
De	Hade lyssnat	De	Ska lyssna	De	Kommer att lyssna

VERB MOODS					
Conditional 1		Conditional 2		Imperative	
Jag	Skulle lyssna	Jag	Skulle ha lyssnat	Jag	Lyssna
Du	Skulle lyssna	Du	Skulle ha lyssnat	Du	Lyssna
Han (m)	Skulle lyssna	Han (m)	Skulle ha lyssnat	Han (m)	Lyssna
Hon (f)	Skulle lyssna	Hon (f)	Skulle ha lyssnat	Hon (f)	Lyssna
Den/det (n)	Skulle lyssna	Den/det (n)	Skulle ha lyssnat	Den/det (n)	Lyssna
Vi	Skulle lyssna	Vi	Skulle ha lyssnat	Vi	Lyssna
Ni	Skulle lyssna	Ni	Skulle ha lyssnat	Ni	Lyssna
De	Skulle lyssna	De	Skulle ha lyssnat	De	Lyssna

To live – att leva

Present		Preteritum		Perfekt	
Jag	Lever	Jag	Levde	Jag	Har levt
Du	Lever	Du	Levde	Du	Har levt
Han (m)	Lever	Han (m)	Levde	Han (m)	Har levt
Hon (f)	Lever	Hon (f)	Levde	Hon (f)	Har levt
Den/det (n)	Lever	Den/det (n)	Levde	Den/det (n)	Har levt
Vi	Lever	Vi	Levde	Vi	Har levt
Ni	Lever	Ni	Levde	Ni	Har levt
De	Lever	De	Levde	De	Har levt

Pluskvamperfekt		Futurum 1		Futurum 2	
Jag	Hade levt	Jag	Ska leva	Jag	Kommer att leva
Du	Hade levt	Du	Ska leva	Du	Kommer att leva
Han (m)	Hade levt	Han (m)	Ska leva	Han (m)	Kommer att leva
Hon (f)	Hade levt	Hon (f)	Ska leva	Hon (f)	Kommer att leva
Den/det (n)	Hade levt	Den/det (n)	Ska leva	Den/det (n)	Kommer att leva
Vi	Hade levt	Vi	Ska leva	Vi	Kommer att leva
Ni	Hade levt	Ni	Ska leva	Ni	Kommer att leva
De	Hade levt	De	Ska leva	De	Kommer att leva

VERB MOODS					
Conditional 1		Conditional 2		Imperative	
Jag	Skulle leva	Jag	Skulle ha levt	Jag	Lev
Du	Skulle leva	Du	Skulle ha levt	Du	Lev
Han (m)	Skulle leva	Han (m)	Skulle ha levt	Han (m)	Lev
Hon (f)	Skulle leva	Hon (f)	Skulle ha levt	Hon (f)	Lev
Den/det (n)	Skulle leva	Den/det (n)	Skulle ha levt	Den/det (n)	Lev
Vi	Skulle leva	Vi	Skulle ha levt	Vi	Lev
Ni	Skulle leva	Ni	Skulle ha levt	Ni	Lev
De	Skulle leva	De	Skulle ha levt	De	Lev

To lose – att förlora

Present		Preteritum		Perfekt	
Jag	Förlorar	Jag	Förlorade	Jag	Har förlorat
Du	Förlorar	Du	Förlorade	Du	Har förlorat
Han (m)	Förlorar	Han (m)	Förlorade	Han (m)	Har förlorat
Hon (f)	Förlorar	Hon (f)	Förlorade	Hon (f)	Har förlorat
Den/det (n)	Förlorar	Den/det (n)	Förlorade	Den/det (n)	Har förlorat
Vi	Förlorar	Vi	Förlorade	Vi	Har förlorat
Ni	Förlorar	Ni	Förlorade	Ni	Har förlorat
De	Förlorar	De	Förlorade	De	Har förlorat

Pluskvamperfekt		Futurum 1		Futurum 2	
Jag	Hade förlorat	Jag	Ska förlora	Jag	Kommer att förlora
Du	Hade förlorat	Du	Ska förlora	Du	Kommer att förlora
Han (m)	Hade förlorat	Han (m)	Ska förlora	Han (m)	Kommer att förlora
Hon (f)	Hade förlorat	Hon (f)	Ska förlora	Hon (f)	Kommer att förlora
Den/det (n)	Hade förlorat	Den/det (n)	Ska förlora	Den/det (n)	Kommer att förlora
Vi	Hade förlorat	Vi	Ska förlora	Vi	Kommer att förlora
Ni	Hade förlorat	Ni	Ska förlora	Ni	Kommer att förlora
De	Hade förlorat	De	Ska förlora	De	Kommer att förlora

VERB MOODS					
Conditional 1		Conditional 2		Imperative	
Jag	Skulle förlora	Jag	Skulle ha förlorat	Jag	Förlora
Du	Skulle förlora	Du	Skulle ha förlorat	Du	Förlora
Han (m)	Skulle förlora	Han (m)	Skulle ha förlorat	Han (m)	Förlora
Hon (f)	Skulle förlora	Hon (f)	Skulle ha förlorat	Hon (f)	Förlora
Den/det (n)	Skulle förlora	Den/det (n)	Skulle ha förlorat	Den/det (n)	Förlora
Vi	Skulle förlora	Vi	Skulle ha förlorat	Vi	Förlora
Ni	Skulle förlora	Ni	Skulle ha förlorat	Ni	Förlora
De	Skulle förlora	De	Skulle ha förlorat	De	Förlora

To love – att älska

Present		Preteritum		Perfekt	
Jag	Älskar	Jag	Älskade	Jag	Har älskat
Du	Älskar	Du	Älskade	Du	Har älskat
Han (m)	Älskar	Han (m)	Älskade	Han (m)	Har älskat
Hon (f)	Älskar	Hon (f)	Älskade	Hon (f)	Har älskat
Den/det (n)	Älskar	Den/det (n)	Älskade	Den/det (n)	Har älskat
Vi	Älskar	Vi	Älskade	Vi	Har älskat
Ni	Älskar	Ni	Älskade	Ni	Har älskat
De	Älskar	De	Älskade	De	Har älskat

Pluskvamperfekt		Futurum 1		Futurum 2	
Jag	Hade älskat	Jag	Ska älska	Jag	Kommer att älska
Du	Hade älskat	Du	Ska älska	Du	Kommer att älska
Han (m)	Hade älskat	Han (m)	Ska älska	Han (m)	Kommer att älska
Hon (f)	Hade älskat	Hon (f)	Ska älska	Hon (f)	Kommer att älska
Den/det (n)	Hade älskat	Den/det (n)	Ska älska	Den/det (n)	Kommer att älska
Vi	Hade älskat	Vi	Ska älska	Vi	Kommer att älska
Ni	Hade älskat	Ni	Ska älska	Ni	Kommer att älska
De	Hade älskat	De	Ska älska	De	Kommer att älska

VERB MOODS					
Conditional 1		Conditional 2		Imperative	
Jag	Skulle älska	Jag	Skulle ha älskat	Jag	Älska
Du	Skulle älska	Du	Skulle ha älskat	Du	Älska
Han (m)	Skulle älska	Han (m)	Skulle ha älskat	Han (m)	Älska
Hon (f)	Skulle älska	Hon (f)	Skulle ha älskat	Hon (f)	Älska
Den/det (n)	Skulle älska	Den/det (n)	Skulle ha älskat	Den/det (n)	Älska
Vi	Skulle älska	Vi	Skulle ha älskat	Vi	Älska
Ni	Skulle älska	Ni	Skulle ha älskat	Ni	Älska
De	Skulle älska	De	Skulle ha älskat	De	Älska

To meet – att möta

Present		Preteritum		Perfekt	
Jag	Möter	Jag	Mötte	Jag	Har mött
Du	Möter	Du	Mötte	Du	Har mött
Han (m)	Möter	Han (m)	Mötte	Han (m)	Har mött
Hon (f)	Möter	Hon (f)	Mötte	Hon (f)	Har mött
Den/det (n)	Möter	Den/det (n)	Mötte	Den/det (n)	Har mött
Vi	Möter	Vi	Mötte	Vi	Har mött
Ni	Möter	Ni	Mötte	Ni	Har mött
De	Möter	De	Mötte	De	Har mött

Pluskvamperfekt		Futurum 1		Futurum 2	
Jag	Hade mött	Jag	Ska möta	Jag	Kommer att möta
Du	Hade mött	Du	Ska möta	Du	Kommer att möta
Han (m)	Hade mött	Han (m)	Ska möta	Han (m)	Kommer att möta
Hon (f)	Hade mött	Hon (f)	Ska möta	Hon (f)	Kommer att möta
Den/det (n)	Hade mött	Den/det (n)	Ska möta	Den/det (n)	Kommer att möta
Vi	Hade mött	Vi	Ska möta	Vi	Kommer att möta
Ni	Hade mött	Ni	Ska möta	Ni	Kommer att möta
De	Hade mött	De	Ska möta	De	Kommer att möta

VERB MOODS					
Conditional 1		Conditional 2		Imperative	
Jag	Skulle möta	Jag	Skulle ha mött	Jag	Möt
Du	Skulle möta	Du	Skulle ha mött	Du	Möt
Han (m)	Skulle möta	Han (m)	Skulle ha mött	Han (m)	Möt
Hon (f)	Skulle möta	Hon (f)	Skulle ha mött	Hon (f)	Möt
Den/det (n)	Skulle möta	Den/det (n)	Skulle ha mött	Den/det (n)	Möt
Vi	Skulle möta	Vi	Skulle ha mött	Vi	Möt
Ni	Skulle möta	Ni	Skulle ha mött	Ni	Möt
De	Skulle möta	De	Skulle ha mött	De	Möt

To need – att behöva

Present		Preteritum		Perfekt	
Jag	Behöver	Jag	Behövde	Jag	Har behövt
Du	Behöver	Du	Behövde	Du	Har behövt
Han (m)	Behöver	Han (m)	Behövde	Han (m)	Har behövt
Hon (f)	Behöver	Hon (f)	Behövde	Hon (f)	Har behövt
Den/det (n)	Behöver	Den/det (n)	Behövde	Den/det (n)	Har behövt
Vi	Behöver	Vi	Behövde	Vi	Har behövt
Ni	Behöver	Ni	Behövde	Ni	Har behövt
De	Behöver	De	Behövde	De	Har behövt

Pluskvamperfekt		Futurum 1		Futurum 2	
Jag	Hade behövt	Jag	Ska behöva	Jag	Kommer att behöva
Du	Hade behövt	Du	Ska behöva	Du	Kommer att behöva
Han (m)	Hade behövt	Han (m)	Ska behöva	Han (m)	Kommer att behöva
Hon (f)	Hade behövt	Hon (f)	Ska behöva	Hon (f)	Kommer att behöva
Den/det (n)	Hade behövt	Den/det (n)	Ska behöva	Den/det (n)	Kommer att behöva
Vi	Hade behövt	Vi	Ska behöva	Vi	Kommer att behöva
Ni	Hade behövt	Ni	Ska behöva	Ni	Kommer att behöva
De	Hade behövt	De	Ska behöva	De	Kommer att behöva

VERB MOODS					
Conditional 1		Conditional 2		Imperative	
Jag	Skulle behöva	Jag	Skulle ha behövt	Jag	Behöv
Du	Skulle behöva	Du	Skulle ha behövt	Du	Behöv
Han (m)	Skulle behöva	Han (m)	Skulle ha behövt	Han (m)	Behöv
Hon (f)	Skulle behöva	Hon (f)	Skulle ha behövt	Hon (f)	Behöv
Den/det (n)	Skulle behöva	Den/det (n)	Skulle ha behövt	Den/det (n)	Behöv
Vi	Skulle behöva	Vi	Skulle ha behövt	Vi	Behöv
Ni	Skulle behöva	Ni	Skulle ha behövt	Ni	Behöv
De	Skulle behöva	De	Skulle ha behövt	De	Behöv

To notice – att lägga märke till

	Present		Preteritum		Perfekt
Jag	Lägger märke till	Jag	Lade märke till	Jag	Har lagt märke till
Du	Lägger märke till	Du	Lade märke till	Du	Har lagt märke till
Han (m)	Lägger märke till	Han (m)	Lade märke till	Han (m)	Har lagt märke till
Hon (f)	Lägger märke till	Hon (f)	Lade märke till	Hon (f)	Har lagt märke till
Den/det (n)	Lägger märke till	Den/det (n)	Lade märke till	Den/det (n)	Har lagt märke till
Vi	Lägger märke till	Vi	Lade märke till	Vi	Har lagt märke till
Ni	Lägger märke till	Ni	Lade märke till	Ni	Har lagt märke till
De	Lägger märke till	De	Lade märke till	De	Har lagt märke till

	Pluskvamperfekt		Futurum 1		Futurum 2
Jag	Hade lagt märke till	Jag	Ska lägga märke till	Jag	Kommer att lägga märke till
Du	Hade lagt märke till	Du	Ska lägga märke till	Du	Kommer att lägga märke till
Han (m)	Hade lagt märke till	Han (m)	Ska lägga märke till	Han (m)	Kommer att lägga märke till
Hon (f)	Hade lagt märke till	Hon (f)	Ska lägga märke till	Hon (f)	Kommer att lägga märke till
Den/det (n)	Hade lagt märke till	Den/det (n)	Ska lägga märke till	Den/det (n)	Kommer att lägga märke till
Vi	Hade lagt märke till	Vi	Ska lägga märke till	Vi	Kommer att lägga märke till
Ni	Hade lagt märke till	Ni	Ska lägga märke till	Ni	Kommer att lägga märke till
De	Hade lagt märke till	De	Ska lägga märke till	De	Kommer att lägga märke till

VERB MOODS					
	Conditional 1		Conditional 2		Imperative
Jag	Skulle lägga märke till	Jag	Skulle ha lagt märke till	Jag	Lägg märke till
Du	Skulle lägga märke till	Du	Skulle ha lagt märke till	Du	Lägg märke till
Han (m)	Skulle lägga märke till	Han (m)	Skulle ha lagt märke till	Han (m)	Lägg märke till
Hon (f)	Skulle lägga märke till	Hon (f)	Skulle ha lagt märke till	Hon (f)	Lägg märke till
Den/det (n)	Skulle lägga märke till	Den/det (n)	Skulle ha lagt märke till	Den/det (n)	Lägg märke till
Vi	Skulle lägga märke till	Vi	Skulle ha lagt märke till	Vi	Lägg märke till
Ni	Skulle lägga märke till	Ni	Skulle ha lagt märke till	Ni	Lägg märke till
De	Skulle lägga märke till	De	Skulle ha lagt märke till	De	Lägg märke till

To open – att öppna

Present		Preteritum		Perfekt	
Jag	Öppnar	Jag	Öppnade	Jag	Har öppnat
Du	Öppnar	Du	Öppnade	Du	Har öppnat
Han (m)	Öppnar	Han (m)	Öppnade	Han (m)	Har öppnat
Hon (f)	Öppnar	Hon (f)	Öppnade	Hon (f)	Har öppnat
Den/det (n)	Öppnar	Den/det (n)	Öppnade	Den/det (n)	Har öppnat
Vi	Öppnar	Vi	Öppnade	Vi	Har öppnat
Ni	Öppnar	Ni	Öppnade	Ni	Har öppnat
De	Öppnar	De	Öppnade	De	Har öppnat

Pluskvamperfekt		Futurum 1		Futurum 2	
Jag	Hade öppnat	Jag	Ska öppna	Jag	Kommer att öppna
Du	Hade öppnat	Du	Ska öppna	Du	Kommer att öppna
Han (m)	Hade öppnat	Han (m)	Ska öppna	Han (m)	Kommer att öppna
Hon (f)	Hade öppnat	Hon (f)	Ska öppna	Hon (f)	Kommer att öppna
Den/det (n)	Hade öppnat	Den/det (n)	Ska öppna	Den/det (n)	Kommer att öppna
Vi	Hade öppnat	Vi	Ska öppna	Vi	Kommer att öppna
Ni	Hade öppnat	Ni	Ska öppna	Ni	Kommer att öppna
De	Hade öppnat	De	Ska öppna	De	Kommer att öppna

VERB MOODS					
Conditional 1		Conditional 2		Imperative	
Jag	Skulle öppna	Jag	Skulle ha öppnat	Jag	Öppna
Du	Skulle öppna	Du	Skulle ha öppnat	Du	Öppna
Han (m)	Skulle öppna	Han (m)	Skulle ha öppnat	Han (m)	Öppna
Hon (f)	Skulle öppna	Hon (f)	Skulle ha öppnat	Hon (f)	Öppna
Den/det (n)	Skulle öppna	Den/det (n)	Skulle ha öppnat	Den/det (n)	Öppna
Vi	Skulle öppna	Vi	Skulle ha öppnat	Vi	Öppna
Ni	Skulle öppna	Ni	Skulle ha öppnat	Ni	Öppna
De	Skulle öppna	De	Skulle ha öppnat	De	Öppna

To play – att spela

Present		Preteritum		Perfekt	
Jag	Spelar	Jag	Spelade	Jag	Har spelat
Du	Spelar	Du	Spelade	Du	Har spelat
Han (m)	Spelar	Han (m)	Spelade	Han (m)	Har spelat
Hon (f)	Spelar	Hon (f)	Spelade	Hon (f)	Har spelat
Den/det (n)	Spelar	Den/det (n)	Spelade	Den/det (n)	Har spelat
Vi	Spelar	Vi	Spelade	Vi	Har spelat
Ni	Spelar	Ni	Spelade	Ni	Har spelat
De	Spelar	De	Spelade	De	Har spelat

Pluskvamperfekt		Futurum 1		Futurum 2	
Jag	Hade spelat	Jag	Ska spela	Jag	Kommer att spela
Du	Hade spelat	Du	Ska spela	Du	Kommer att spela
Han (m)	Hade spelat	Han (m)	Ska spela	Han (m)	Kommer att spela
Hon (f)	Hade spelat	Hon (f)	Ska spela	Hon (f)	Kommer att spela
Den/det (n)	Hade spelat	Den/det (n)	Ska spela	Den/det (n)	Kommer att spela
Vi	Hade spelat	Vi	Ska spela	Vi	Kommer att spela
Ni	Hade spelat	Ni	Ska spela	Ni	Kommer att spela
De	Hade spelat	De	Ska spela	De	Kommer att spela

VERB MOODS					
Conditional 1		Conditional 2		Imperative	
Jag	Skulle spela	Jag	Skulle ha spelat	Jag	Spela
Du	Skulle spela	Du	Skulle ha spelat	Du	Spela
Han (m)	Skulle spela	Han (m)	Skulle ha spelat	Han (m)	Spela
Hon (f)	Skulle spela	Hon (f)	Skulle ha spelat	Hon (f)	Spela
Den/det (n)	Skulle spela	Den/det (n)	Skulle ha spelat	Den/det (n)	Spela
Vi	Skulle spela	Vi	Skulle ha spelat	Vi	Spela
Ni	Skulle spela	Ni	Skulle ha spelat	Ni	Spela
De	Skulle spela	De	Skulle ha spelat	De	Spela

To put – att sätta

Present		Preteritum		Perfekt	
Jag	Sätter	Jag	Satte	Jag	Har satt
Du	Sätter	Du	Satte	Du	Har satt
Han (m)	Sätter	Han (m)	Satte	Han (m)	Har satt
Hon (f)	Sätter	Hon (f)	Satte	Hon (f)	Har satt
Den/det (n)	Sätter	Den/det (n)	Satte	Den/det (n)	Har satt
Vi	Sätter	Vi	Satte	Vi	Har satt
Ni	Sätter	Ni	Satte	Ni	Har satt
De	Sätter	De	Satte	De	Har satt

Pluskvamperfekt		Futurum 1		Futurum 2	
Jag	Hade satt	Jag	Ska sätta	Jag	Kommer att sätta
Du	Hade satt	Du	Ska sätta	Du	Kommer att sätta
Han (m)	Hade satt	Han (m)	Ska sätta	Han (m)	Kommer att sätta
Hon (f)	Hade satt	Hon (f)	Ska sätta	Hon (f)	Kommer att sätta
Den/det (n)	Hade satt	Den/det (n)	Ska sätta	Den/det (n)	Kommer att sätta
Vi	Hade satt	Vi	Ska sätta	Vi	Kommer att sätta
Ni	Hade satt	Ni	Ska sätta	Ni	Kommer att sätta
De	Hade satt	De	Ska sätta	De	Kommer att sätta

VERB MOODS					
Conditional 1		Conditional 2		Imperative	
Jag	Skulle sätta	Jag	Skulle ha satt	Jag	Sätt
Du	Skulle sätta	Du	Skulle ha satt	Du	Sätt
Han (m)	Skulle sätta	Han (m)	Skulle ha satt	Han (m)	Sätt
Hon (f)	Skulle sätta	Hon (f)	Skulle ha satt	Hon (f)	Sätt
Den/det (n)	Skulle sätta	Den/det (n)	Skulle ha satt	Den/det (n)	Sätt
Vi	Skulle sätta	Vi	Skulle ha satt	Vi	Sätt
Ni	Skulle sätta	Ni	Skulle ha satt	Ni	Sätt
De	Skulle sätta	De	Skulle ha satt	De	Sätt

To read - att läsa

Present		Preteritum		Perfekt	
Jag	Läser	Jag	Läste	Jag	Har läst
Du	Läser	Du	Läste	Du	Har läst
Han (m)	Läser	Han (m)	Läste	Han (m)	Har läst
Hon (f)	Läser	Hon (f)	Läste	Hon (f)	Har läst
Den/det (n)	Läser	Den/det (n)	Läste	Den/det (n)	Har läst
Vi	Läser	Vi	Läste	Vi	Har läst
Ni	Läser	Ni	Läste	Ni	Har läst
De	Läser	De	Läste	De	Har läst

Pluskvamperfekt		Futurum 1		Futurum 2	
Jag	Hade läst	Jag	Ska läsa	Jag	Kommer att läsa
Du	Hade läst	Du	Ska läsa	Du	Kommer att läsa
Han (m)	Hade läst	Han (m)	Ska läsa	Han (m)	Kommer att läsa
Hon (f)	Hade läst	Hon (f)	Ska läsa	Hon (f)	Kommer att läsa
Den/det (n)	Hade läst	Den/det (n)	Ska läsa	Den/det (n)	Kommer att läsa
Vi	Hade läst	Vi	Ska läsa	Vi	Kommer att läsa
Ni	Hade läst	Ni	Ska läsa	Ni	Kommer att läsa
De	Hade läst	De	Ska läsa	De	Kommer att läsa

VERB MOODS					
Conditional 1		Conditional 2		Imperative	
Jag	Skulle läsa	Jag	Skulle ha läst	Jag	Läs
Du	Skulle läsa	Du	Skulle ha läst	Du	Läs
Han (m)	Skulle läsa	Han (m)	Skulle ha läst	Han (m)	Läs
Hon (f)	Skulle läsa	Hon (f)	Skulle ha läst	Hon (f)	Läs
Den/det (n)	Skulle läsa	Den/det (n)	Skulle ha läst	Den/det (n)	Läs
Vi	Skulle läsa	Vi	Skulle ha läst	Vi	Läs
Ni	Skulle läsa	Ni	Skulle ha läst	Ni	Läs
De	Skulle läsa	De	Skulle ha läst	De	Läs

To receive – att mottaga

Present		Preteritum		Perfekt	
Jag	Mottager	Jag	Mottog	Jag	Har mottagit
Du	Mottager	Du	Mottog	Du	Har mottagit
Han (m)	Mottager	Han (m)	Mottog	Han (m)	Har mottagit
Hon (f)	Mottager	Hon (f)	Mottog	Hon (f)	Har mottagit
Den/det (n)	Mottager	Den/det (n)	Mottog	Den/det (n)	Har mottagit
Vi	Mottager	Vi	Mottog	Vi	Har mottagit
Ni	Mottager	Ni	Mottog	Ni	Har mottagit
De	Mottager	De	Mottog	De	Har mottagit

Pluskvamperfekt		Futurum 1		Futurum 2	
Jag	Hade mottagit	Jag	Ska mottaga	Jag	Kommer att mottaga
Du	Hade mottagit	Du	Ska mottaga	Du	Kommer att mottaga
Han (m)	Hade mottagit	Han (m)	Ska mottaga	Han (m)	Kommer att mottaga
Hon (f)	Hade mottagit	Hon (f)	Ska mottaga	Hon (f)	Kommer att mottaga
Den/det (n)	Hade mottagit	Den/det (n)	Ska mottaga	Den/det (n)	Kommer att mottaga
Vi	Hade mottagit	Vi	Ska mottaga	Vi	Kommer att mottaga
Ni	Hade mottagit	Ni	Ska mottaga	Ni	Kommer att mottaga
De	Hade mottagit	De	Ska mottaga	De	Kommer att mottaga

VERB MOODS					
Conditional 1		Conditional 2		Imperative	
Jag	Skulle mottaga	Jag	Skulle ha mottagit	Jag	Mottag
Du	Skulle mottaga	Du	Skulle ha mottagit	Du	Mottag
Han (m)	Skulle mottaga	Han (m)	Skulle ha mottagit	Han (m)	Mottag
Hon (f)	Skulle mottaga	Hon (f)	Skulle ha mottagit	Hon (f)	Mottag
Den/det (n)	Skulle mottaga	Den/det (n)	Skulle ha mottagit	Den/det (n)	Mottag
Vi	Skulle mottaga	Vi	Skulle ha mottagit	Vi	Mottag
Ni	Skulle mottaga	Ni	Skulle ha mottagit	Ni	Mottag
De	Skulle mottaga	De	Skulle ha mottagit	De	Mottag

To remember – att komma ihåg

Present		Preteritum		Perfekt	
Jag	Kommer ihåg	Jag	Kom ihåg	Jag	Har kommit ihåg
Du	Kommer ihåg	Du	Kom ihåg	Du	Har kommit ihåg
Han (m)	Kommer ihåg	Han (m)	Kom ihåg	Han (m)	Har kommit ihåg
Hon (f)	Kommer ihåg	Hon (f)	Kom ihåg	Hon (f)	Har kommit ihåg
Den/det (n)	Kommer ihåg	Den/det (n)	Kom ihåg	Den/det (n)	Har kommit ihåg
Vi	Kommer ihåg	Vi	Kom ihåg	Vi	Har kommit ihåg
Ni	Kommer ihåg	Ni	Kom ihåg	Ni	Har kommit ihåg
De	Kommer ihåg	De	Kom ihåg	De	Har kommit ihåg

Pluskvamperfekt		Futurum 1		Futurum 2	
Jag	Hade kommit ihåg	Jag	Ska komma ihåg	Jag	Kommer att komma ihåg
Du	Hade kommit ihåg	Du	Ska komma ihåg	Du	Kommer att komma ihåg
Han (m)	Hade kommit ihåg	Han (m)	Ska komma ihåg	Han (m)	Kommer att komma ihåg
Hon (f)	Hade kommit ihåg	Hon (f)	Ska komma ihåg	Hon (f)	Kommer att komma ihåg
Den/det (n)	Hade kommit ihåg	Den/det (n)	Ska komma ihåg	Den/det (n)	Kommer att komma ihåg
Vi	Hade kommit ihåg	Vi	Ska komma ihåg	Vi	Kommer att komma ihåg
Ni	Hade kommit ihåg	Ni	Ska komma ihåg	Ni	Kommer att komma ihåg
De	Hade kommit ihåg	De	Ska komma ihåg	De	Kommer att komma ihåg

VERB MOODS					
Conditional 1		Conditional 2		Imperative	
Jag	Skulle komma ihåg	Jag	Skulle ha kommit ihåg	Jag	Kom ihåg
Du	Skulle komma ihåg	Du	Skulle ha kommit ihåg	Du	Kom ihåg
Han (m)	Skulle komma ihåg	Han (m)	Skulle ha kommit ihåg	Han (m)	Kom ihåg
Hon (f)	Skulle komma ihåg	Hon (f)	Skulle ha kommit ihåg	Hon (f)	Kom ihåg
Den/det (n)	Skulle komma ihåg	Den/det (n)	Skulle ha kommit ihåg	Den/det (n)	Kom ihåg
Vi	Skulle komma ihåg	Vi	Skulle ha kommit ihåg	Vi	Kom ihåg
Ni	Skulle komma ihåg	Ni	Skulle ha kommit ihåg	Ni	Kom ihåg
De	Skulle komma ihåg	De	Skulle ha kommit ihåg	De	Kom ihåg

SWEDISH LANGUAGE: 101 SWEDISH VERBS

To repeat – att repetera

Present		Preteritum		Perfekt	
Jag	Repeterar	Jag	Repeterade	Jag	Har repeterat
Du	Repeterar	Du	Repeterade	Du	Har repeterat
Han (m)	Repeterar	Han (m)	Repeterade	Han (m)	Har repeterat
Hon (f)	Repeterar	Hon (f)	Repeterade	Hon (f)	Har repeterat
Den/det (n)	Repeterar	Den/det (n)	Repeterade	Den/det (n)	Har repeterat
Vi	Repeterar	Vi	Repeterade	Vi	Har repeterat
Ni	Repeterar	Ni	Repeterade	Ni	Har repeterat
De	Repeterar	De	Repeterade	De	Har repeterat

Pluskvamperfekt		Futurum 1		Futurum 2	
Jag	Hade repeterat	Jag	Ska repetera	Jag	Kommer att repetera
Du	Hade repeterat	Du	Ska repetera	Du	Kommer att repetera
Han (m)	Hade repeterat	Han (m)	Ska repetera	Han (m)	Kommer att repetera
Hon (f)	Hade repeterat	Hon (f)	Ska repetera	Hon (f)	Kommer att repetera
Den/det (n)	Hade repeterat	Den/det (n)	Ska repetera	Den/det (n)	Kommer att repetera
Vi	Hade repeterat	Vi	Ska repetera	Vi	Kommer att repetera
Ni	Hade repeterat	Ni	Ska repetera	Ni	Kommer att repetera
De	Hade repeterat	De	Ska repetera	De	Kommer att repetera

VERB MOODS					
Conditional 1		Conditional 2		Imperative	
Jag	Skulle repetera	Jag	Skulle ha repeterat	Jag	Repetera
Du	Skulle repetera	Du	Skulle ha repeterat	Du	Repetera
Han (m)	Skulle repetera	Han (m)	Skulle ha repeterat	Han (m)	Repetera
Hon (f)	Skulle repetera	Hon (f)	Skulle ha repeterat	Hon (f)	Repetera
Den/det (n)	Skulle repetera	Den/det (n)	Skulle ha repeterat	Den/det (n)	Repetera
Vi	Skulle repetera	Vi	Skulle ha repeterat	Vi	Repetera
Ni	Skulle repetera	Ni	Skulle ha repeterat	Ni	Repetera
De	Skulle repetera	De	Skulle ha repeterat	De	Repetera

To return – att återvända

Present		Preteritum		Perfekt	
Jag	Återvänder	Jag	Återvände	Jag	Har återvänt
Du	Återvänder	Du	Återvände	Du	Har återvänt
Han (m)	Återvänder	Han (m)	Återvände	Han (m)	Har återvänt
Hon (f)	Återvänder	Hon (f)	Återvände	Hon (f)	Har återvänt
Den/det (n)	Återvänder	Den/det (n)	Återvände	Den/det (n)	Har återvänt
Vi	Återvänder	Vi	Återvände	Vi	Har återvänt
Ni	Återvänder	Ni	Återvände	Ni	Har återvänt
De	Återvänder	De	Återvände	De	Har återvänt

Pluskvamperfekt		Futurum 1		Futurum 2	
Jag	Hade återvänt	Jag	Ska återvända	Jag	Kommer att återvända
Du	Hade återvänt	Du	Ska återvända	Du	Kommer att återvända
Han (m)	Hade återvänt	Han (m)	Ska återvända	Han (m)	Kommer att återvända
Hon (f)	Hade återvänt	Hon (f)	Ska återvända	Hon (f)	Kommer att återvända
Den/det (n)	Hade återvänt	Den/det (n)	Ska återvända	Den/det (n)	Kommer att återvända
Vi	Hade återvänt	Vi	Ska återvända	Vi	Kommer att återvända
Ni	Hade återvänt	Ni	Ska återvända	Ni	Kommer att återvända
De	Hade återvänt	De	Ska återvända	De	Kommer att återvända

VERB MOODS					
Conditional 1		Conditional 2		Imperative	
Jag	Skulle återvända	Jag	Skulle ha återvänt	Jag	Återvänd
Du	Skulle återvända	Du	Skulle ha återvänt	Du	Återvänd
Han (m)	Skulle återvända	Han (m)	Skulle ha återvänt	Han (m)	Återvänd
Hon (f)	Skulle återvända	Hon (f)	Skulle ha återvänt	Hon (f)	Återvänd
Den/det (n)	Skulle återvända	Den/det (n)	Skulle ha återvänt	Den/det (n)	Återvänd
Vi	Skulle återvända	Vi	Skulle ha återvänt	Vi	Återvänd
Ni	Skulle återvända	Ni	Skulle ha återvänt	Ni	Återvänd
De	Skulle återvända	De	Skulle ha återvänt	De	Återvänd

To run – att springa

Present		Preteritum		Perfekt	
Jag	Springer	Jag	Sprang	Jag	Har sprungit
Du	Springer	Du	Sprang	Du	Har sprungit
Han (m)	Springer	Han (m)	Sprang	Han (m)	Har sprungit
Hon (f)	Springer	Hon (f)	Sprang	Hon (f)	Har sprungit
Den/det (n)	Springer	Den/det (n)	Sprang	Den/det (n)	Har sprungit
Vi	Springer	Vi	Sprang	Vi	Har sprungit
Ni	Springer	Ni	Sprang	Ni	Har sprungit
De	Springer	De	Sprang	De	Har sprungit

Pluskvamperfekt		Futurum 1		Futurum 2	
Jag	Hade sprungit	Jag	Ska springa	Jag	Kommer att springa
Du	Hade sprungit	Du	Ska springa	Du	Kommer att springa
Han (m)	Hade sprungit	Han (m)	Ska springa	Han (m)	Kommer att springa
Hon (f)	Hade sprungit	Hon (f)	Ska springa	Hon (f)	Kommer att springa
Den/det (n)	Hade sprungit	Den/det (n)	Ska springa	Den/det (n)	Kommer att springa
Vi	Hade sprungit	Vi	Ska springa	Vi	Kommer att springa
Ni	Hade sprungit	Ni	Ska springa	Ni	Kommer att springa
De	Hade sprungit	De	Ska springa	De	Kommer att springa

VERB MOODS					
Conditional 1		Conditional 2		Imperative	
Jag	Skulle springa	Jag	Skulle ha sprungit	Jag	Spring
Du	Skulle springa	Du	Skulle ha sprungit	Du	Spring
Han (m)	Skulle springa	Han (m)	Skulle ha sprungit	Han (m)	Spring
Hon (f)	Skulle springa	Hon (f)	Skulle ha sprungit	Hon (f)	Spring
Den/det (n)	Skulle springa	Den/det (n)	Skulle ha sprungit	Den/det (n)	Spring
Vi	Skulle springa	Vi	Skulle ha sprungit	Vi	Spring
Ni	Skulle springa	Ni	Skulle ha sprungit	Ni	Spring
De	Skulle springa	De	Skulle ha sprungit	De	Spring

To say – att säga

Present		Preteritum		Perfekt	
Jag	Säger	Jag	Sade	Jag	Har sagt
Du	Säger	Du	Sade	Du	Har sagt
Han (m)	Säger	Han (m)	Sade	Han (m)	Har sagt
Hon (f)	Säger	Hon (f)	Sade	Hon (f)	Har sagt
Den/det (n)	Säger	Den/det (n)	Sade	Den/det (n)	Har sagt
Vi	Säger	Vi	Sade	Vi	Har sagt
Ni	Säger	Ni	Sade	Ni	Har sagt
De	Säger	De	Sade	De	Har sagt

Pluskvamperfekt		Futurum 1		Futurum 2	
Jag	Hade sagt	Jag	Ska säga	Jag	Kommer att säga
Du	Hade sagt	Du	Ska säga	Du	Kommer att säga
Han (m)	Hade sagt	Han (m)	Ska säga	Han (m)	Kommer att säga
Hon (f)	Hade sagt	Hon (f)	Ska säga	Hon (f)	Kommer att säga
Den/det (n)	Hade sagt	Den/det (n)	Ska säga	Den/det (n)	Kommer att säga
Vi	Hade sagt	Vi	Ska säga	Vi	Kommer att säga
Ni	Hade sagt	Ni	Ska säga	Ni	Kommer att säga
De	Hade sagt	De	Ska säga	De	Kommer att säga

VERB MOODS					
Conditional 1		Conditional 2		Imperative	
Jag	Skulle säga	Jag	Skulle ha sagt	Jag	Säg
Du	Skulle säga	Du	Skulle ha sagt	Du	Säg
Han (m)	Skulle säga	Han (m)	Skulle ha sagt	Han (m)	Säg
Hon (f)	Skulle säga	Hon (f)	Skulle ha sagt	Hon (f)	Säg
Den/det (n)	Skulle säga	Den/det (n)	Skulle ha sagt	Den/det (n)	Säg
Vi	Skulle säga	Vi	Skulle ha sagt	Vi	Säg
Ni	Skulle säga	Ni	Skulle ha sagt	Ni	Säg
De	Skulle säga	De	Skulle ha sagt	De	Säg

To scream – att skrika

Present		Preteritum		Perfekt	
Jag	Skriker	Jag	Skrek	Jag	Har skrikit
Du	Skriker	Du	Skrek	Du	Har skrikit
Han (m)	Skriker	Han (m)	Skrek	Han (m)	Har skrikit
Hon (f)	Skriker	Hon (f)	Skrek	Hon (f)	Har skrikit
Den/det (n)	Skriker	Den/det (n)	Skrek	Den/det (n)	Har skrikit
Vi	Skriker	Vi	Skrek	Vi	Har skrikit
Ni	Skriker	Ni	Skrek	Ni	Har skrikit
De	Skriker	De	Skrek	De	Har skrikit

Pluskvamperfekt		Futurum 1		Futurum 2	
Jag	Hade skrikit	Jag	Ska skrika	Jag	Kommer att skrika
Du	Hade skrikit	Du	Ska skrika	Du	Kommer att skrika
Han (m)	Hade skrikit	Han (m)	Ska skrika	Han (m)	Kommer att skrika
Hon (f)	Hade skrikit	Hon (f)	Ska skrika	Hon (f)	Kommer att skrika
Den/det (n)	Hade skrikit	Den/det (n)	Ska skrika	Den/det (n)	Kommer att skrika
Vi	Hade skrikit	Vi	Ska skrika	Vi	Kommer att skrika
Ni	Hade skrikit	Ni	Ska skrika	Ni	Kommer att skrika
De	Hade skrikit	De	Ska skrika	De	Kommer att skrika

VERB MOODS					
Conditional 1		Conditional 2		Imperative	
Jag	Skulle skrika	Jag	Skulle ha skrikit	Jag	Skrik
Du	Skulle skrika	Du	Skulle ha skrikit	Du	Skrik
Han (m)	Skulle skrika	Han (m)	Skulle ha skrikit	Han (m)	Skrik
Hon (f)	Skulle skrika	Hon (f)	Skulle ha skrikit	Hon (f)	Skrik
Den/det (n)	Skulle skrika	Den/det (n)	Skulle ha skrikit	Den/det (n)	Skrik
Vi	Skulle skrika	Vi	Skulle ha skrikit	Vi	Skrik
Ni	Skulle skrika	Ni	Skulle ha skrikit	Ni	Skrik
De	Skulle skrika	De	Skulle ha skrikit	De	Skrik

To see – att se

Present		Preteritum		Perfekt	
Jag	Ser	Jag	Såg	Jag	Har sett
Du	Ser	Du	Såg	Du	Har sett
Han (m)	Ser	Han (m)	Såg	Han (m)	Har sett
Hon (f)	Ser	Hon (f)	Såg	Hon (f)	Har sett
Den/det (n)	Ser	Den/det (n)	Såg	Den/det (n)	Har sett
Vi	Ser	Vi	Såg	Vi	Har sett
Ni	Ser	Ni	Såg	Ni	Har sett
De	Ser	De	Såg	De	Har sett

Pluskvamperfekt		Futurum 1		Futurum 2	
Jag	Hade sett	Jag	Ska se	Jag	Kommer att se
Du	Hade sett	Du	Ska se	Du	Kommer att se
Han (m)	Hade sett	Han (m)	Ska se	Han (m)	Kommer att se
Hon (f)	Hade sett	Hon (f)	Ska se	Hon (f)	Kommer att se
Den/det (n)	Hade sett	Den/det (n)	Ska se	Den/det (n)	Kommer att se
Vi	Hade sett	Vi	Ska se	Vi	Kommer att se
Ni	Hade sett	Ni	Ska se	Ni	Kommer att se
De	Hade sett	De	Ska se	De	Kommer att se

VERB MOODS					
Conditional 1		Conditional 2		Imperative	
Jag	Skulle se	Jag	Skulle ha sett	Jag	Se
Du	Skulle se	Du	Skulle ha sett	Du	Se
Han (m)	Skulle se	Han (m)	Skulle ha sett	Han (m)	Se
Hon (f)	Skulle se	Hon (f)	Skulle ha sett	Hon (f)	Se
Den/det (n)	Skulle se	Den/det (n)	Skulle ha sett	Den/det (n)	Se
Vi	Skulle se	Vi	Skulle ha sett	Vi	Se
Ni	Skulle se	Ni	Skulle ha sett	Ni	Se
De	Skulle se	De	Skulle ha sett	De	Se

To seem – att verka

Present		Preteritum		Perfekt	
Jag	Verkar	Jag	Verkade	Jag	Har verkat
Du	Verkar	Du	Verkade	Du	Har verkat
Han (m)	Verkar	Han (m)	Verkade	Han (m)	Har verkat
Hon (f)	Verkar	Hon (f)	Verkade	Hon (f)	Har verkat
Den/det (n)	Verkar	Den/det (n)	Verkade	Den/det (n)	Har verkat
Vi	Verkar	Vi	Verkade	Vi	Har verkat
Ni	Verkar	Ni	Verkade	Ni	Har verkat
De	Verkar	De	Verkade	De	Har verkat

Pluskvamperfekt		Futurum 1		Futurum 2	
Jag	Hade verkat	Jag	Ska verka	Jag	Kommer att verka
Du	Hade verkat	Du	Ska verka	Du	Kommer att verka
Han (m)	Hade verkat	Han (m)	Ska verka	Han (m)	Kommer att verka
Hon (f)	Hade verkat	Hon (f)	Ska verka	Hon (f)	Kommer att verka
Den/det (n)	Hade verkat	Den/det (n)	Ska verka	Den/det (n)	Kommer att verka
Vi	Hade verkat	Vi	Ska verka	Vi	Kommer att verka
Ni	Hade verkat	Ni	Ska verka	Ni	Kommer att verka
De	Hade verkat	De	Ska verka	De	Kommer att verka

VERB MOODS					
Conditional 1		Conditional 2		Imperative	
Jag	Skulle verka	Jag	Skulle ha verkat	Jag	Verka
Du	Skulle verka	Du	Skulle ha verkat	Du	Verka
Han (m)	Skulle verka	Han (m)	Skulle ha verkat	Han (m)	Verka
Hon (f)	Skulle verka	Hon (f)	Skulle ha verkat	Hon (f)	Verka
Den/det (n)	Skulle verka	Den/det (n)	Skulle ha verkat	Den/det (n)	Verka
Vi	Skulle verka	Vi	Skulle ha verkat	Vi	Verka
Ni	Skulle verka	Ni	Skulle ha verkat	Ni	Verka
De	Skulle verka	De	Skulle ha verkat	De	Verka

To sell – att sälja

Present		Preteritum		Perfekt	
Jag	Säljer	Jag	Sålde	Jag	Har sålt
Du	Säljer	Du	Sålde	Du	Har sålt
Han (m)	Säljer	Han (m)	Sålde	Han (m)	Har sålt
Hon (f)	Säljer	Hon (f)	Sålde	Hon (f)	Har sålt
Den/det (n)	Säljer	Den/det (n)	Sålde	Den/det (n)	Har sålt
Vi	Säljer	Vi	Sålde	Vi	Har sålt
Ni	Säljer	Ni	Sålde	Ni	Har sålt
De	Säljer	De	Sålde	De	Har sålt

Pluskvamperfekt		Futurum 1		Futurum 2	
Jag	Hade sålt	Jag	Ska sälja	Jag	Kommer att sälja
Du	Hade sålt	Du	Ska sälja	Du	Kommer att sälja
Han (m)	Hade sålt	Han (m)	Ska sälja	Han (m)	Kommer att sälja
Hon (f)	Hade sålt	Hon (f)	Ska sälja	Hon (f)	Kommer att sälja
Den/det (n)	Hade sålt	Den/det (n)	Ska sälja	Den/det (n)	Kommer att sälja
Vi	Hade sålt	Vi	Ska sälja	Vi	Kommer att sälja
Ni	Hade sålt	Ni	Ska sälja	Ni	Kommer att sälja
De	Hade sålt	De	Ska sälja	De	Kommer att sälja

VERB MOODS					
Conditional 1		Conditional 2		Imperative	
Jag	Skulle sälja	Jag	Skulle ha sålt	Jag	Sälj
Du	Skulle sälja	Du	Skulle ha sålt	Du	Sälj
Han (m)	Skulle sälja	Han (m)	Skulle ha sålt	Han (m)	Sälj
Hon (f)	Skulle sälja	Hon (f)	Skulle ha sålt	Hon (f)	Sälj
Den/det (n)	Skulle sälja	Den/det (n)	Skulle ha sålt	Den/det (n)	Sälj
Vi	Skulle sälja	Vi	Skulle ha sålt	Vi	Sälj
Ni	Skulle sälja	Ni	Skulle ha sålt	Ni	Sälj
De	Skulle sälja	De	Skulle ha sålt	De	Sälj

To send – att skicka

Present		Preteritum		Perfekt	
Jag	Skickar	Jag	Skickade	Jag	Har skickat
Du	Skickar	Du	Skickade	Du	Har skickat
Han (m)	Skickar	Han (m)	Skickade	Han (m)	Har skickat
Hon (f)	Skickar	Hon (f)	Skickade	Hon (f)	Har skickat
Den/det (n)	Skickar	Den/det (n)	Skickade	Den/det (n)	Har skickat
Vi	Skickar	Vi	Skickade	Vi	Har skickat
Ni	Skickar	Ni	Skickade	Ni	Har skickat
De	Skickar	De	Skickade	De	Har skickat

Pluskvamperfekt		Futurum 1		Futurum 2	
Jag	Hade skickat	Jag	Ska skicka	Jag	Kommer att skicka
Du	Hade skickat	Du	Ska skicka	Du	Kommer att skicka
Han (m)	Hade skickat	Han (m)	Ska skicka	Han (m)	Kommer att skicka
Hon (f)	Hade skickat	Hon (f)	Ska skicka	Hon (f)	Kommer att skicka
Den/det (n)	Hade skickat	Den/det (n)	Ska skicka	Den/det (n)	Kommer att skicka
Vi	Hade skickat	Vi	Ska skicka	Vi	Kommer att skicka
Ni	Hade skickat	Ni	Ska skicka	Ni	Kommer att skicka
De	Hade skickat	De	Ska skicka	De	Kommer att skicka

VERB MOODS					
Conditional 1		Conditional 2		Imperative	
Jag	Skulle skicka	Jag	Skulle ha skickat	Jag	Skicka
Du	Skulle skicka	Du	Skulle ha skickat	Du	Skicka
Han (m)	Skulle skicka	Han (m)	Skulle ha skickat	Han (m)	Skicka
Hon (f)	Skulle skicka	Hon (f)	Skulle ha skickat	Hon (f)	Skicka
Den/det (n)	Skulle skicka	Den/det (n)	Skulle ha skickat	Den/det (n)	Skicka
Vi	Skulle skicka	Vi	Skulle ha skickat	Vi	Skicka
Ni	Skulle skicka	Ni	Skulle ha skickat	Ni	Skicka
De	Skulle skicka	De	Skulle ha skickat	De	Skicka

To show – att visa

Present		Preteritum		Perfekt	
Jag	Visar	Jag	Visade	Jag	Har visat
Du	Visar	Du	Visade	Du	Har visat
Han (m)	Visar	Han (m)	Visade	Han (m)	Har visat
Hon (f)	Visar	Hon (f)	Visade	Hon (f)	Har visat
Den/det (n)	Visar	Den/det (n)	Visade	Den/det (n)	Har visat
Vi	Visar	Vi	Visade	Vi	Har visat
Ni	Visar	Ni	Visade	Ni	Har visat
De	Visar	De	Visade	De	Har visat

Pluskvamperfekt		Futurum 1		Futurum 2	
Jag	Hade visat	Jag	Ska visa	Jag	Kommer att visa
Du	Hade visat	Du	Ska visa	Du	Kommer att visa
Han (m)	Hade visat	Han (m)	Ska visa	Han (m)	Kommer att visa
Hon (f)	Hade visat	Hon (f)	Ska visa	Hon (f)	Kommer att visa
Den/det (n)	Hade visat	Den/det (n)	Ska visa	Den/det (n)	Kommer att visa
Vi	Hade visat	Vi	Ska visa	Vi	Kommer att visa
Ni	Hade visat	Ni	Ska visa	Ni	Kommer att visa
De	Hade visat	De	Ska visa	De	Kommer att visa

VERB MOODS					
Conditional 1		Conditional 2		Imperative	
Jag	Skulle visa	Jag	Skulle ha visat	Jag	Visa
Du	Skulle visa	Du	Skulle ha visat	Du	Visa
Han (m)	Skulle visa	Han (m)	Skulle ha visat	Han (m)	Visa
Hon (f)	Skulle visa	Hon (f)	Skulle ha visat	Hon (f)	Visa
Den/det (n)	Skulle visa	Den/det (n)	Skulle ha visat	Den/det (n)	Visa
Vi	Skulle visa	Vi	Skulle ha visat	Vi	Visa
Ni	Skulle visa	Ni	Skulle ha visat	Ni	Visa
De	Skulle visa	De	Skulle ha visat	De	Visa

To sing – att sjunga

Present		Preteritum		Perfekt	
Jag	Sjunger	Jag	Sjöng	Jag	Har sjungit
Du	Sjunger	Du	Sjöng	Du	Har sjungit
Han (m)	Sjunger	Han (m)	Sjöng	Han (m)	Har sjungit
Hon (f)	Sjunger	Hon (f)	Sjöng	Hon (f)	Har sjungit
Den/det (n)	Sjunger	Den/det (n)	Sjöng	Den/det (n)	Har sjungit
Vi	Sjunger	Vi	Sjöng	Vi	Har sjungit
Ni	Sjunger	Ni	Sjöng	Ni	Har sjungit
De	Sjunger	De	Sjöng	De	Har sjungit

Pluskvamperfekt		Futurum 1		Futurum 2	
Jag	Hade sjungit	Jag	Ska sjunga	Jag	Kommer att sjunga
Du	Hade sjungit	Du	Ska sjunga	Du	Kommer att sjunga
Han (m)	Hade sjungit	Han (m)	Ska sjunga	Han (m)	Kommer att sjunga
Hon (f)	Hade sjungit	Hon (f)	Ska sjunga	Hon (f)	Kommer att sjunga
Den/det (n)	Hade sjungit	Den/det (n)	Ska sjunga	Den/det (n)	Kommer att sjunga
Vi	Hade sjungit	Vi	Ska sjunga	Vi	Kommer att sjunga
Ni	Hade sjungit	Ni	Ska sjunga	Ni	Kommer att sjunga
De	Hade sjungit	De	Ska sjunga	De	Kommer att sjunga

VERB MOODS					
Conditional 1		Conditional 2		Imperative	
Jag	Skulle sjunga	Jag	Skulle ha sjungit	Jag	Sjung
Du	Skulle sjunga	Du	Skulle ha sjungit	Du	Sjung
Han (m)	Skulle sjunga	Han (m)	Skulle ha sjungit	Han (m)	Sjung
Hon (f)	Skulle sjunga	Hon (f)	Skulle ha sjungit	Hon (f)	Sjung
Den/det (n)	Skulle sjunga	Den/det (n)	Skulle ha sjungit	Den/det (n)	Sjung
Vi	Skulle sjunga	Vi	Skulle ha sjungit	Vi	Sjung
Ni	Skulle sjunga	Ni	Skulle ha sjungit	Ni	Sjung
De	Skulle sjunga	De	Skulle ha sjungit	De	Sjung

To sit down – att sätta sig ner

Present			Preteritum			Perfekt	
Jag	Sätter mig ner		Jag	Satte mig ner		Jag	Har satt mig ner
Du	Sätter dig ner		Du	Satte dig ner		Du	Har satt dig ner
Han (m)	Sätter sig ner		Han (m)	Satte sig ner		Han (m)	Har satt sig ner
Hon (f)	Sätter sig ner		Hon (f)	Satte sig ner		Hon (f)	Har satt sig ner
Den/det (n)	Sätter sig ner		Den/det (n)	Satte sig ner		Den/det (n)	Har satt sig ner
Vi	Sätter oss ner		Vi	Satte oss ner		Vi	Har satt oss ner
Ni	Sätter er ner		Ni	Satte er ner		Ni	Har satt er ner
De	Sätter sig ner		De	Satte sig ner		De	Har satt sig ner

Pluskvamperfekt			Futurum 1			Futurum 2	
Jag	Hade satt mig ner		Jag	Ska sätta mig ner		Jag	Kommer att sätta mig ner
Du	Hade satt dig ner		Du	Ska sätta dig ner		Du	Kommer att sätta dig ner
Han (m)	Hade satt sig ner		Han (m)	Ska sätta sig ner		Han (m)	Kommer att sätta sig ner
Hon (f)	Hade satt sig ner		Hon (f)	Ska sätta sig ner		Hon (f)	Kommer att sätta sig ner
Den/det (n)	Hade satt sig ner		Den/det (n)	Ska sätta sig ner		Den/det (n)	Kommer att sätta sig ner
Vi	Hade satt oss ner		Vi	Ska sätta oss ner		Vi	Kommer att sätta oss ner
Ni	Hade satt er ner		Ni	Ska sätta er ner		Ni	Kommer att sätta er ner
De	Hade satt sig ner		De	Ska sätta sig ner		De	Kommer att sätta sig ner

VERB MOODS							
Conditional 1			Conditional 2			Imperative	
Jag	Skulle sätta mig ner		Jag	Skulle ha satt mig ner		Jag	Sätt mig ner
Du	Skulle sätta dig ner		Du	Skulle ha satt dig ner		Du	Sätt dig ner
Han (m)	Skulle sätta sig ner		Han (m)	Skulle ha satt sig ner		Han (m)	Sätt dig ner
Hon (f)	Skulle sätta sig ner		Hon (f)	Skulle ha satt sig ner		Hon (f)	Sätt dig ner
Den/det (n)	Skulle sätta sig ner		Den/det (n)	Skulle ha satt sig ner		Den/det (n)	Sätt dig ner
Vi	Skulle sätta oss ner		Vi	Skulle ha satt oss ner		Vi	Sätt oss ner
Ni	Skulle sätta er ner		Ni	Skulle ha satt er ner		Ni	Sätt er ner
De	Skulle sätta sig ner		De	Skulle ha satt sig ner		De	Sätt er ner

To sleep – att sova

Present		Preteritum		Perfekt	
Jag	Sover	Jag	Sov	Jag	Har sovit
Du	Sover	Du	Sov	Du	Har sovit
Han (m)	Sover	Han (m)	Sov	Han (m)	Har sovit
Hon (f)	Sover	Hon (f)	Sov	Hon (f)	Har sovit
Den/det (n)	Sover	Den/det (n)	Sov	Den/det (n)	Har sovit
Vi	Sover	Vi	Sov	Vi	Har sovit
Ni	Sover	Ni	Sov	Ni	Har sovit
De	Sover	De	Sov	De	Har sovit

Pluskvamperfekt		Futurum 1		Futurum 2	
Jag	Hade sovit	Jag	Ska sova	Jag	Kommer att sova
Du	Hade sovit	Du	Ska sova	Du	Kommer att sova
Han (m)	Hade sovit	Han (m)	Ska sova	Han (m)	Kommer att sova
Hon (f)	Hade sovit	Hon (f)	Ska sova	Hon (f)	Kommer att sova
Den/det (n)	Hade sovit	Den/det (n)	Ska sova	Den/det (n)	Kommer att sova
Vi	Hade sovit	Vi	Ska sova	Vi	Kommer att sova
Ni	Hade sovit	Ni	Ska sova	Ni	Kommer att sova
De	Hade sovit	De	Ska sova	De	Kommer att sova

VERB MOODS

Conditional 1		Conditional 2		Imperative	
Jag	Skulle sova	Jag	Skulle ha sovit	Jag	Sov
Du	Skulle sova	Du	Skulle ha sovit	Du	Sov
Han (m)	Skulle sova	Han (m)	Skulle ha sovit	Han (m)	Sov
Hon (f)	Skulle sova	Hon (f)	Skulle ha sovit	Hon (f)	Sov
Den/det (n)	Skulle sova	Den/det (n)	Skulle ha sovit	Den/det (n)	Sov
Vi	Skulle sova	Vi	Skulle ha sovit	Vi	Sov
Ni	Skulle sova	Ni	Skulle ha sovit	Ni	Sov
De	Skulle sova	De	Skulle ha sovit	De	Sov

To smile – att le

Present		Preteritum		Perfekt	
Jag	Ler	Jag	Log	Jag	Har lett
Du	Ler	Du	Log	Du	Har lett
Han (m)	Ler	Han (m)	Log	Han (m)	Har lett
Hon (f)	Ler	Hon (f)	Log	Hon (f)	Har lett
Den/det (n)	Ler	Den/det (n)	Log	Den/det (n)	Har lett
Vi	Ler	Vi	Log	Vi	Har lett
Ni	Ler	Ni	Log	Ni	Har lett
De	Ler	De	Log	De	Har lett

Pluskvamperfekt		Futurum 1		Futurum 2	
Jag	Hade lett	Jag	Ska le	Jag	Kommer att le
Du	Hade lett	Du	Ska le	Du	Kommer att le
Han (m)	Hade lett	Han (m)	Ska le	Han (m)	Kommer att le
Hon (f)	Hade lett	Hon (f)	Ska le	Hon (f)	Kommer att le
Den/det (n)	Hade lett	Den/det (n)	Ska le	Den/det (n)	Kommer att le
Vi	Hade lett	Vi	Ska le	Vi	Kommer att le
Ni	Hade lett	Ni	Ska le	Ni	Kommer att le
De	Hade lett	De	Ska le	De	Kommer att le

VERB MOODS					
Conditional 1		Conditional 2		Imperative	
Jag	Skulle le	Jag	Skulle ha lett	Jag	Le
Du	Skulle le	Du	Skulle ha lett	Du	Le
Han (m)	Skulle le	Han (m)	Skulle ha lett	Han (m)	Le
Hon (f)	Skulle le	Hon (f)	Skulle ha lett	Hon (f)	Le
Den/det (n)	Skulle le	Den/det (n)	Skulle ha lett	Den/det (n)	Le
Vi	Skulle le	Vi	Skulle ha lett	Vi	Le
Ni	Skulle le	Ni	Skulle ha lett	Ni	Le
De	Skulle le	De	Skulle ha lett	De	Le

To speak – att prata

Present		Preteritum		Perfekt	
Jag	Pratar	Jag	Pratade	Jag	Har pratat
Du	Pratar	Du	Pratade	Du	Har pratat
Han (m)	Pratar	Han (m)	Pratade	Han (m)	Har pratat
Hon (f)	Pratar	Hon (f)	Pratade	Hon (f)	Har pratat
Den/det (n)	Pratar	Den/det (n)	Pratade	Den/det (n)	Har pratat
Vi	Pratar	Vi	Pratade	Vi	Har pratat
Ni	Pratar	Ni	Pratade	Ni	Har pratat
De	Pratar	De	Pratade	De	Har pratat

Pluskvamperfekt		Futurum 1		Futurum 2	
Jag	Hade pratat	Jag	Ska prata	Jag	Kommer att prata
Du	Hade pratat	Du	Ska prata	Du	Kommer att prata
Han (m)	Hade pratat	Han (m)	Ska prata	Han (m)	Kommer att prata
Hon (f)	Hade pratat	Hon (f)	Ska prata	Hon (f)	Kommer att prata
Den/det (n)	Hade pratat	Den/det (n)	Ska prata	Den/det (n)	Kommer att prata
Vi	Hade pratat	Vi	Ska prata	Vi	Kommer att prata
Ni	Hade pratat	Ni	Ska prata	Ni	Kommer att prata
De	Hade pratat	De	Ska prata	De	Kommer att prata

VERB MOODS					
Conditional 1		Conditional 2		Imperative	
Jag	Skulle prata	Jag	Skulle ha pratat	Jag	Prata
Du	Skulle prata	Du	Skulle ha pratat	Du	Prata
Han (m)	Skulle prata	Han (m)	Skulle ha pratat	Han (m)	Prata
Hon (f)	Skulle prata	Hon (f)	Skulle ha pratat	Hon (f)	Prata
Den/det (n)	Skulle prata	Den/det (n)	Skulle ha pratat	Den/det (n)	Prata
Vi	Skulle prata	Vi	Skulle ha pratat	Vi	Prata
Ni	Skulle prata	Ni	Skulle ha pratat	Ni	Prata
De	Skulle prata	De	Skulle ha pratat	De	Prata

To stand – att stå

Present		Preteritum		Perfekt	
Jag	Står	Jag	Stod	Jag	Har stått
Du	Står	Du	Stod	Du	Har stått
Han (m)	Står	Han (m)	Stod	Han (m)	Har stått
Hon (f)	Står	Hon (f)	Stod	Hon (f)	Har stått
Den/det (n)	Står	Den/det (n)	Stod	Den/det (n)	Har stått
Vi	Står	Vi	Stod	Vi	Har stått
Ni	Står	Ni	Stod	Ni	Har stått
De	Står	De	Stod	De	Har stått

Pluskvamperfekt		Futurum 1		Futurum 2	
Jag	Hade stått	Jag	Ska stå	Jag	Kommer att stå
Du	Hade stått	Du	Ska stå	Du	Kommer att stå
Han (m)	Hade stått	Han (m)	Ska stå	Han (m)	Kommer att stå
Hon (f)	Hade stått	Hon (f)	Ska stå	Hon (f)	Kommer att stå
Den/det (n)	Hade stått	Den/det (n)	Ska stå	Den/det (n)	Kommer att stå
Vi	Hade stått	Vi	Ska stå	Vi	Kommer att stå
Ni	Hade stått	Ni	Ska stå	Ni	Kommer att stå
De	Hade stått	De	Ska stå	De	Kommer att stå

VERB MOODS					
Conditional 1		Conditional 2		Imperative	
Jag	Skulle stå	Jag	Skulle ha stått	Jag	Stå
Du	Skulle stå	Du	Skulle ha stått	Du	Stå
Han (m)	Skulle stå	Han (m)	Skulle ha stått	Han (m)	Stå
Hon (f)	Skulle stå	Hon (f)	Skulle ha stått	Hon (f)	Stå
Den/det (n)	Skulle stå	Den/det (n)	Skulle ha stått	Den/det (n)	Stå
Vi	Skulle stå	Vi	Skulle ha stått	Vi	Stå
Ni	Skulle stå	Ni	Skulle ha stått	Ni	Stå
De	Skulle stå	De	Skulle ha stått	De	Stå

To start – att börja

Present		Preteritum		Perfekt	
Jag	Börjar	Jag	Började	Jag	Har börjat
Du	Börjar	Du	Började	Du	Har börjat
Han (m)	Börjar	Han (m)	Började	Han (m)	Har börjat
Hon (f)	Börjar	Hon (f)	Började	Hon (f)	Har börjat
Den/det (n)	Börjar	Den/det (n)	Började	Den/det (n)	Har börjat
Vi	Börjar	Vi	Började	Vi	Har börjat
Ni	Börjar	Ni	Började	Ni	Har börjat
De	Börjar	De	Började	De	Har börjat

Pluskvamperfekt		Futurum 1		Futurum 2	
Jag	Hade börjat	Jag	Ska börja	Jag	Kommer att börja
Du	Hade börjat	Du	Ska börja	Du	Kommer att börja
Han (m)	Hade börjat	Han (m)	Ska börja	Han (m)	Kommer att börja
Hon (f)	Hade börjat	Hon (f)	Ska börja	Hon (f)	Kommer att börja
Den/det (n)	Hade börjat	Den/det (n)	Ska börja	Den/det (n)	Kommer att börja
Vi	Hade börjat	Vi	Ska börja	Vi	Kommer att börja
Ni	Hade börjat	Ni	Ska börja	Ni	Kommer att börja
De	Hade börjat	De	Ska börja	De	Kommer att börja

VERB MOODS					
Conditional 1		Conditional 2		Imperative	
Jag	Skulle börja	Jag	Skulle ha börjat	Jag	Börja
Du	Skulle börja	Du	Skulle ha börjat	Du	Börja
Han (m)	Skulle börja	Han (m)	Skulle ha börjat	Han (m)	Börja
Hon (f)	Skulle börja	Hon (f)	Skulle ha börjat	Hon (f)	Börja
Den/det (n)	Skulle börja	Den/det (n)	Skulle ha börjat	Den/det (n)	Börja
Vi	Skulle börja	Vi	Skulle ha börjat	Vi	Börja
Ni	Skulle börja	Ni	Skulle ha börjat	Ni	Börja
De	Skulle börja	De	Skulle ha börjat	De	Börja

To stay - att stanna

Present		Preteritum		Perfekt	
Jag	Stannar	Jag	Stannade	Jag	Har stannat
Du	Stannar	Du	Stannade	Du	Har stannat
Han (m)	Stannar	Han (m)	Stannade	Han (m)	Har stannat
Hon (f)	Stannar	Hon (f)	Stannade	Hon (f)	Har stannat
Den/det (n)	Stannar	Den/det (n)	Stannade	Den/det (n)	Har stannat
Vi	Stannar	Vi	Stannade	Vi	Har stannat
Ni	Stannar	Ni	Stannade	Ni	Har stannat
De	Stannar	De	Stannade	De	Har stannat

Pluskvamperfekt		Futurum 1		Futurum 2	
Jag	Hade stannat	Jag	Ska stanna	Jag	Kommer att stanna
Du	Hade stannat	Du	Ska stanna	Du	Kommer att stanna
Han (m)	Hade stannat	Han (m)	Ska stanna	Han (m)	Kommer att stanna
Hon (f)	Hade stannat	Hon (f)	Ska stanna	Hon (f)	Kommer att stanna
Den/det (n)	Hade stannat	Den/det (n)	Ska stanna	Den/det (n)	Kommer att stanna
Vi	Hade stannat	Vi	Ska stanna	Vi	Kommer att stanna
Ni	Hade stannat	Ni	Ska stanna	Ni	Kommer att stanna
De	Hade stannat	De	Ska stanna	De	Kommer att stanna

VERB MOODS					
Conditional 1		Conditional 2		Imperative	
Jag	Skulle stanna	Jag	Skulle ha stannat	Jag	Stanna
Du	Skulle stanna	Du	Skulle ha stannat	Du	Stanna
Han (m)	Skulle stanna	Han (m)	Skulle ha stannat	Han (m)	Stanna
Hon (f)	Skulle stanna	Hon (f)	Skulle ha stannat	Hon (f)	Stanna
Den/det (n)	Skulle stanna	Den/det (n)	Skulle ha stannat	Den/det (n)	Stanna
Vi	Skulle stanna	Vi	Skulle ha stannat	Vi	Stanna
Ni	Skulle stanna	Ni	Skulle ha stannat	Ni	Stanna
De	Skulle stanna	De	Skulle ha stannat	De	Stanna

To take – att ta

Present		Preteritum		Perfekt	
Jag	Tar	Jag	Tog	Jag	Har tagit
Du	Tar	Du	Tog	Du	Har tagit
Han (m)	Tar	Han (m)	Tog	Han (m)	Har tagit
Hon (f)	Tar	Hon (f)	Tog	Hon (f)	Har tagit
Den/det (n)	Tar	Den/det (n)	Tog	Den/det (n)	Har tagit
Vi	Tar	Vi	Tog	Vi	Har tagit
Ni	Tar	Ni	Tog	Ni	Har tagit
De	Tar	De	Tog	De	Har tagit

Pluskvamperfekt		Futurum 1		Futurum 2	
Jag	Hade tagit	Jag	Ska ta	Jag	Kommer att ta
Du	Hade tagit	Du	Ska ta	Du	Kommer att ta
Han (m)	Hade tagit	Han (m)	Ska ta	Han (m)	Kommer att ta
Hon (f)	Hade tagit	Hon (f)	Ska ta	Hon (f)	Kommer att ta
Den/det (n)	Hade tagit	Den/det (n)	Ska ta	Den/det (n)	Kommer att ta
Vi	Hade tagit	Vi	Ska ta	Vi	Kommer att ta
Ni	Hade tagit	Ni	Ska ta	Ni	Kommer att ta
De	Hade tagit	De	Ska ta	De	Kommer att ta

VERB MOODS					
Conditional 1		Conditional 2		Imperative	
Jag	Skulle ta	Jag	Skulle ha tagit	Jag	Ta
Du	Skulle ta	Du	Skulle ha tagit	Du	Ta
Han (m)	Skulle ta	Han (m)	Skulle ha tagit	Han (m)	Ta
Hon (f)	Skulle ta	Hon (f)	Skulle ha tagit	Hon (f)	Ta
Den/det (n)	Skulle ta	Den/det (n)	Skulle ha tagit	Den/det (n)	Ta
Vi	Skulle ta	Vi	Skulle ha tagit	Vi	Ta
Ni	Skulle ta	Ni	Skulle ha tagit	Ni	Ta
De	Skulle ta	De	Skulle ha tagit	De	Ta

To talk – att tala

Present		Preteritum		Perfekt	
Jag	Talar	Jag	Talade	Jag	Har talat
Du	Talar	Du	Talade	Du	Har talat
Han (m)	Talar	Han (m)	Talade	Han (m)	Har talat
Hon (f)	Talar	Hon (f)	Talade	Hon (f)	Har talat
Den/det (n)	Talar	Den/det (n)	Talade	Den/det (n)	Har talat
Vi	Talar	Vi	Talade	Vi	Har talat
Ni	Talar	Ni	Talade	Ni	Har talat
De	Talar	De	Talade	De	Har talat

Pluskvamperfekt		Futurum 1		Futurum 2	
Jag	Hade talat	Jag	Ska tala	Jag	Kommer att tala
Du	Hade talat	Du	Ska tala	Du	Kommer att tala
Han (m)	Hade talat	Han (m)	Ska tala	Han (m)	Kommer att tala
Hon (f)	Hade talat	Hon (f)	Ska tala	Hon (f)	Kommer att tala
Den/det (n)	Hade talat	Den/det (n)	Ska tala	Den/det (n)	Kommer att tala
Vi	Hade talat	Vi	Ska tala	Vi	Kommer att tala
Ni	Hade talat	Ni	Ska tala	Ni	Kommer att tala
De	Hade talat	De	Ska tala	De	Kommer att tala

VERB MOODS					
Conditional 1		Conditional 2		Imperative	
Jag	Skulle tala	Jag	Skulle ha talat	Jag	Tala
Du	Skulle tala	Du	Skulle ha talat	Du	Tala
Han (m)	Skulle tala	Han (m)	Skulle ha talat	Han (m)	Tala
Hon (f)	Skulle tala	Hon (f)	Skulle ha talat	Hon (f)	Tala
Den/det (n)	Skulle tala	Den/det (n)	Skulle ha talat	Den/det (n)	Tala
Vi	Skulle tala	Vi	Skulle ha talat	Vi	Tala
Ni	Skulle tala	Ni	Skulle ha talat	Ni	Tala
De	Skulle tala	De	Skulle ha talat	De	Tala

To teach – att lära ut

Present		Preteritum		Perfekt	
Jag	Lär ut	Jag	Lärde ut	Jag	Har lärt ut
Du	Lär ut	Du	Lärde ut	Du	Har lärt ut
Han (m)	Lär ut	Han (m)	Lärde ut	Han (m)	Har lärt ut
Hon (f)	Lär ut	Hon (f)	Lärde ut	Hon (f)	Har lärt ut
Den/det (n)	Lär ut	Den/det (n)	Lärde ut	Den/det (n)	Har lärt ut
Vi	Lär ut	Vi	Lärde ut	Vi	Har lärt ut
Ni	Lär ut	Ni	Lärde ut	Ni	Har lärt ut
De	Lär ut	De	Lärde ut	De	Har lärt ut

Pluskvamperfekt		Futurum 1		Futurum 2	
Jag	Hade lärt ut	Jag	Ska lära ut	Jag	Kommer att lära ut
Du	Hade lärt ut	Du	Ska lära ut	Du	Kommer att lära ut
Han (m)	Hade lärt ut	Han (m)	Ska lära ut	Han (m)	Kommer att lära ut
Hon (f)	Hade lärt ut	Hon (f)	Ska lära ut	Hon (f)	Kommer att lära ut
Den/det (n)	Hade lärt ut	Den/det (n)	Ska lära ut	Den/det (n)	Kommer att lära ut
Vi	Hade lärt ut	Vi	Ska lära ut	Vi	Kommer att lära ut
Ni	Hade lärt ut	Ni	Ska lära ut	Ni	Kommer att lära ut
De	Hade lärt ut	De	Ska lära ut	De	Kommer att lära ut

VERB MOODS					
Conditional 1		Conditional 2		Imperative	
Jag	Skulle lära ut	Jag	Skulle ha lärt ut	Jag	Lär ut
Du	Skulle lära ut	Du	Skulle ha lärt ut	Du	Lär ut
Han (m)	Skulle lära ut	Han (m)	Skulle ha lärt ut	Han (m)	Lär ut
Hon (f)	Skulle lära ut	Hon (f)	Skulle ha lärt ut	Hon (f)	Lär ut
Den/det (n)	Skulle lära ut	Den/det (n)	Skulle ha lärt ut	Den/det (n)	Lär ut
Vi	Skulle lära ut	Vi	Skulle ha lärt ut	Vi	Lär ut
Ni	Skulle lära ut	Ni	Skulle ha lärt ut	Ni	Lär ut
De	Skulle lära ut	De	Skulle ha lärt ut	De	Lär ut

To think – att tänka

Present		Preteritum		Perfekt	
Jag	Tänker	Jag	Tänkte	Jag	Har tänkt
Du	Tänker	Du	Tänkte	Du	Har tänkt
Han (m)	Tänker	Han (m)	Tänkte	Han (m)	Har tänkt
Hon (f)	Tänker	Hon (f)	Tänkte	Hon (f)	Har tänkt
Den/det (n)	Tänker	Den/det (n)	Tänkte	Den/det (n)	Har tänkt
Vi	Tänker	Vi	Tänkte	Vi	Har tänkt
Ni	Tänker	Ni	Tänkte	Ni	Har tänkt
De	Tänker	De	Tänkte	De	Har tänkt

Pluskvamperfekt		Futurum 1		Futurum 2	
Jag	Hade tänkt	Jag	Ska tänka	Jag	Kommer att tänka
Du	Hade tänkt	Du	Ska tänka	Du	Kommer att tänka
Han (m)	Hade tänkt	Han (m)	Ska tänka	Han (m)	Kommer att tänka
Hon (f)	Hade tänkt	Hon (f)	Ska tänka	Hon (f)	Kommer att tänka
Den/det (n)	Hade tänkt	Den/det (n)	Ska tänka	Den/det (n)	Kommer att tänka
Vi	Hade tänkt	Vi	Ska tänka	Vi	Kommer att tänka
Ni	Hade tänkt	Ni	Ska tänka	Ni	Kommer att tänka
De	Hade tänkt	De	Ska tänka	De	Kommer att tänka

VERB MOODS					
Conditional 1		Conditional 2		Imperative	
Jag	Skulle tänka	Jag	Skulle ha tänkt	Jag	Tänk
Du	Skulle tänka	Du	Skulle ha tänkt	Du	Tänk
Han (m)	Skulle tänka	Han (m)	Skulle ha tänkt	Han (m)	Tänk
Hon (f)	Skulle tänka	Hon (f)	Skulle ha tänkt	Hon (f)	Tänk
Den/det (n)	Skulle tänka	Den/det (n)	Skulle ha tänkt	Den/det (n)	Tänk
Vi	Skulle tänka	Vi	Skulle ha tänkt	Vi	Tänk
Ni	Skulle tänka	Ni	Skulle ha tänkt	Ni	Tänk
De	Skulle tänka	De	Skulle ha tänkt	De	Tänk

To touch – att röra vid

Present		Preteritum		Perfekt	
Jag	Rör vid	Jag	Rörde vid	Jag	Har rört vid
Du	Rör vid	Du	Rörde vid	Du	Har rört vid
Han (m)	Rör vid	Han (m)	Rörde vid	Han (m)	Har rört vid
Hon (f)	Rör vid	Hon (f)	Rörde vid	Hon (f)	Har rört vid
Den/det (n)	Rör vid	Den/det (n)	Rörde vid	Den/det (n)	Har rört vid
Vi	Rör vid	Vi	Rörde vid	Vi	Har rört vid
Ni	Rör vid	Ni	Rörde vid	Ni	Har rört vid
De	Rör vid	De	Rörde vid	De	Har rört vid

Pluskvamperfekt		Futurum 1		Futurum 2	
Jag	Hade rört vid	Jag	Ska röra vid	Jag	Kommer att röra vid
Du	Hade rört vid	Du	Ska röra vid	Du	Kommer att röra vid
Han (m)	Hade rört vid	Han (m)	Ska röra vid	Han (m)	Kommer att röra vid
Hon (f)	Hade rört vid	Hon (f)	Ska röra vid	Hon (f)	Kommer att röra vid
Den/det (n)	Hade rört vid	Den/det (n)	Ska röra vid	Den/det (n)	Kommer att röra vid
Vi	Hade rört vid	Vi	Ska röra vid	Vi	Kommer att röra vid
Ni	Hade rört vid	Ni	Ska röra vid	Ni	Kommer att röra vid
De	Hade rört vid	De	Ska röra vid	De	Kommer att röra vid

VERB MOODS					
Conditional 1		Conditional 2		Imperative	
Jag	Skulle röra vid	Jag	Skulle ha rört vid	Jag	Rör vid
Du	Skulle röra vid	Du	Skulle ha rört vid	Du	Rör vid
Han (m)	Skulle röra vid	Han (m)	Skulle ha rört vid	Han (m)	Rör vid
Hon (f)	Skulle röra vid	Hon (f)	Skulle ha rört vid	Hon (f)	Rör vid
Den/det (n)	Skulle röra vid	Den/det (n)	Skulle ha rört vid	Den/det (n)	Rör vid
Vi	Skulle röra vid	Vi	Skulle ha rört vid	Vi	Rör vid
Ni	Skulle röra vid	Ni	Skulle ha rört vid	Ni	Rör vid
De	Skulle röra vid	De	Skulle ha rört vid	De	Rör vid

To travel – att resa

Present		Preteritum		Perfekt	
Jag	Reser	Jag	Reste	Jag	Har rest
Du	Reser	Du	Reste	Du	Har rest
Han (m)	Reser	Han (m)	Reste	Han (m)	Har rest
Hon (f)	Reser	Hon (f)	Reste	Hon (f)	Har rest
Den/det (n)	Reser	Den/det (n)	Reste	Den/det (n)	Har rest
Vi	Reser	Vi	Reste	Vi	Har rest
Ni	Reser	Ni	Reste	Ni	Har rest
De	Reser	De	Reste	De	Har rest

Pluskvamperfekt		Futurum 1		Futurum 2	
Jag	Hade rest	Jag	Ska resa	Jag	Kommer att resa
Du	Hade rest	Du	Ska resa	Du	Kommer att resa
Han (m)	Hade rest	Han (m)	Ska resa	Han (m)	Kommer att resa
Hon (f)	Hade rest	Hon (f)	Ska resa	Hon (f)	Kommer att resa
Den/det (n)	Hade rest	Den/det (n)	Ska resa	Den/det (n)	Kommer att resa
Vi	Hade rest	Vi	Ska resa	Vi	Kommer att resa
Ni	Hade rest	Ni	Ska resa	Ni	Kommer att resa
De	Hade rest	De	Ska resa	De	Kommer att resa

VERB MOODS					
Conditional 1		Conditional 2		Imperative	
Jag	Skulle resa	Jag	Skulle ha rest	Jag	Res
Du	Skulle resa	Du	Skulle ha rest	Du	Res
Han (m)	Skulle resa	Han (m)	Skulle ha rest	Han (m)	Res
Hon (f)	Skulle resa	Hon (f)	Skulle ha rest	Hon (f)	Res
Den/det (n)	Skulle resa	Den/det (n)	Skulle ha rest	Den/det (n)	Res
Vi	Skulle resa	Vi	Skulle ha rest	Vi	Res
Ni	Skulle resa	Ni	Skulle ha rest	Ni	Res
De	Skulle resa	De	Skulle ha rest	De	Res

To understand – att förstå

Present		Preteritum		Perfekt	
Jag	Förstår	Jag	Förstod	Jag	Har förstått
Du	Förstår	Du	Förstod	Du	Har förstått
Han (m)	Förstår	Han (m)	Förstod	Han (m)	Har förstått
Hon (f)	Förstår	Hon (f)	Förstod	Hon (f)	Har förstått
Den/det (n)	Förstår	Den/det (n)	Förstod	Den/det (n)	Har förstått
Vi	Förstår	Vi	Förstod	Vi	Har förstått
Ni	Förstår	Ni	Förstod	Ni	Har förstått
De	Förstår	De	Förstod	De	Har förstått

Pluskvamperfekt		Futurum 1		Futurum 2	
Jag	Hade förstått	Jag	Ska förstå	Jag	Kommer att förstå
Du	Hade förstått	Du	Ska förstå	Du	Kommer att förstå
Han (m)	Hade förstått	Han (m)	Ska förstå	Han (m)	Kommer att förstå
Hon (f)	Hade förstått	Hon (f)	Ska förstå	Hon (f)	Kommer att förstå
Den/det (n)	Hade förstått	Den/det (n)	Ska förstå	Den/det (n)	Kommer att förstå
Vi	Hade förstått	Vi	Ska förstå	Vi	Kommer att förstå
Ni	Hade förstått	Ni	Ska förstå	Ni	Kommer att förstå
De	Hade förstått	De	Ska förstå	De	Kommer att förstå

VERB MOODS

Conditional 1		Conditional 2		Imperative	
Jag	Skulle förstå	Jag	Skulle ha förstått	Jag	Förstå
Du	Skulle förstå	Du	Skulle ha förstått	Du	Förstå
Han (m)	Skulle förstå	Han (m)	Skulle ha förstått	Han (m)	Förstå
Hon (f)	Skulle förstå	Hon (f)	Skulle ha förstått	Hon (f)	Förstå
Den/det (n)	Skulle förstå	Den/det (n)	Skulle ha förstått	Den/det (n)	Förstå
Vi	Skulle förstå	Vi	Skulle ha förstått	Vi	Förstå
Ni	Skulle förstå	Ni	Skulle ha förstått	Ni	Förstå
De	Skulle förstå	De	Skulle ha förstått	De	Förstå

To use – att använda

Present		Preteritum		Perfekt	
Jag	Använder	Jag	Använde	Jag	Har använt
Du	Använder	Du	Använde	Du	Har använt
Han (m)	Använder	Han (m)	Använde	Han (m)	Har använt
Hon (f)	Använder	Hon (f)	Använde	Hon (f)	Har använt
Den/det (n)	Använder	Den/det (n)	Använde	Den/det (n)	Har använt
Vi	Använder	Vi	Använde	Vi	Har använt
Ni	Använder	Ni	Använde	Ni	Har använt
De	Använder	De	Använde	De	Har använt

Pluskvamperfekt		Futurum 1		Futurum 2	
Jag	Hade använt	Jag	Ska använda	Jag	Kommer att använda
Du	Hade använt	Du	Ska använda	Du	Kommer att använda
Han (m)	Hade använt	Han (m)	Ska använda	Han (m)	Kommer att använda
Hon (f)	Hade använt	Hon (f)	Ska använda	Hon (f)	Kommer att använda
Den/det (n)	Hade använt	Den/det (n)	Ska använda	Den/det (n)	Kommer att använda
Vi	Hade använt	Vi	Ska använda	Vi	Kommer att använda
Ni	Hade använt	Ni	Ska använda	Ni	Kommer att använda
De	Hade använt	De	Ska använda	De	Kommer att använda

VERB MOODS					
Conditional 1		Conditional 2		Imperative	
Jag	Skulle använda	Jag	Skulle ha använt	Jag	Använd
Du	Skulle använda	Du	Skulle ha använt	Du	Använd
Han (m)	Skulle använda	Han (m)	Skulle ha använt	Han (m)	Använd
Hon (f)	Skulle använda	Hon (f)	Skulle ha använt	Hon (f)	Använd
Den/det (n)	Skulle använda	Den/det (n)	Skulle ha använt	Den/det (n)	Använd
Vi	Skulle använda	Vi	Skulle ha använt	Vi	Använd
Ni	Skulle använda	Ni	Skulle ha använt	Ni	Använd
De	Skulle använda	De	Skulle ha använt	De	Använd

To wait – att vänta

Present		Preteritum		Perfekt	
Jag	Väntar	Jag	Väntade	Jag	Har väntat
Du	Väntar	Du	Väntade	Du	Har väntat
Han (m)	Väntar	Han (m)	Väntade	Han (m)	Har väntat
Hon (f)	Väntar	Hon (f)	Väntade	Hon (f)	Har väntat
Den/det (n)	Väntar	Den/det (n)	Väntade	Den/det (n)	Har väntat
Vi	Väntar	Vi	Väntade	Vi	Har väntat
Ni	Väntar	Ni	Väntade	Ni	Har väntat
De	Väntar	De	Väntade	De	Har väntat

Pluskvamperfekt		Futurum 1		Futurum 2	
Jag	Hade väntat	Jag	Ska vänta	Jag	Kommer att vänta
Du	Hade väntat	Du	Ska vänta	Du	Kommer att vänta
Han (m)	Hade väntat	Han (m)	Ska vänta	Han (m)	Kommer att vänta
Hon (f)	Hade väntat	Hon (f)	Ska vänta	Hon (f)	Kommer att vänta
Den/det (n)	Hade väntat	Den/det (n)	Ska vänta	Den/det (n)	Kommer att vänta
Vi	Hade väntat	Vi	Ska vänta	Vi	Kommer att vänta
Ni	Hade väntat	Ni	Ska vänta	Ni	Kommer att vänta
De	Hade väntat	De	Ska vänta	De	Kommer att vänta

VERB MOODS					
Conditional 1		Conditional 2		Imperative	
Jag	Skulle vänta	Jag	Skulle ha väntat	Jag	Vänta
Du	Skulle vänta	Du	Skulle ha väntat	Du	Vänta
Han (m)	Skulle vänta	Han (m)	Skulle ha väntat	Han (m)	Vänta
Hon (f)	Skulle vänta	Hon (f)	Skulle ha väntat	Hon (f)	Vänta
Den/det (n)	Skulle vänta	Den/det (n)	Skulle ha väntat	Den/det (n)	Vänta
Vi	Skulle vänta	Vi	Skulle ha väntat	Vi	Vänta
Ni	Skulle vänta	Ni	Skulle ha väntat	Ni	Vänta
De	Skulle vänta	De	Skulle ha väntat	De	Vänta

To walk – att gå

Present		Preteritum		Perfekt	
Jag	Går	Jag	Gick	Jag	Har gått
Du	Går	Du	Gick	Du	Har gått
Han (m)	Går	Han (m)	Gick	Han (m)	Har gått
Hon (f)	Går	Hon (f)	Gick	Hon (f)	Har gått
Den/det (n)	Går	Den/det (n)	Gick	Den/det (n)	Har gått
Vi	Går	Vi	Gick	Vi	Har gått
Ni	Går	Ni	Gick	Ni	Har gått
De	Går	De	Gick	De	Har gått

Pluskvamperfekt		Futurum 1		Futurum 2	
Jag	Hade gått	Jag	Ska gå	Jag	Kommer att gå
Du	Hade gått	Du	Ska gå	Du	Kommer att gå
Han (m)	Hade gått	Han (m)	Ska gå	Han (m)	Kommer att gå
Hon (f)	Hade gått	Hon (f)	Ska gå	Hon (f)	Kommer att gå
Den/det (n)	Hade gått	Den/det (n)	Ska gå	Den/det (n)	Kommer att gå
Vi	Hade gått	Vi	Ska gå	Vi	Kommer att gå
Ni	Hade gått	Ni	Ska gå	Ni	Kommer att gå
De	Hade gått	De	Ska gå	De	Kommer att gå

VERB MOODS					
Conditional 1		Conditional 2		Imperative	
Jag	Skulle gå	Jag	Skulle ha gått	Jag	Gå
Du	Skulle gå	Du	Skulle ha gått	Du	Gå
Han (m)	Skulle gå	Han (m)	Skulle ha gått	Han (m)	Gå
Hon (f)	Skulle gå	Hon (f)	Skulle ha gått	Hon (f)	Gå
Den/det (n)	Skulle gå	Den/det (n)	Skulle ha gått	Den/det (n)	Gå
Vi	Skulle gå	Vi	Skulle ha gått	Vi	Gå
Ni	Skulle gå	Ni	Skulle ha gått	Ni	Gå
De	Skulle gå	De	Skulle ha gått	De	Gå

To want – att vilja

Present		Preteritum		Perfekt	
Jag	Vill	Jag	Ville	Jag	Har velat
Du	Vill	Du	Ville	Du	Har velat
Han (m)	Vill	Han (m)	Ville	Han (m)	Har velat
Hon (f)	Vill	Hon (f)	Ville	Hon (f)	Har velat
Den/det (n)	Vill	Den/det (n)	Ville	Den/det (n)	Har velat
Vi	Vill	Vi	Ville	Vi	Har velat
Ni	Vill	Ni	Ville	Ni	Har velat
De	Vill	De	Ville	De	Har velat

Pluskvamperfekt		Futurum 1		Futurum 2	
Jag	Hade velat	Jag	Ska vilja	Jag	Kommer att vilja
Du	Hade velat	Du	Ska vilja	Du	Kommer att vilja
Han (m)	Hade velat	Han (m)	Ska vilja	Han (m)	Kommer att vilja
Hon (f)	Hade velat	Hon (f)	Ska vilja	Hon (f)	Kommer att vilja
Den/det (n)	Hade velat	Den/det (n)	Ska vilja	Den/det (n)	Kommer att vilja
Vi	Hade velat	Vi	Ska vilja	Vi	Kommer att vilja
Ni	Hade velat	Ni	Ska vilja	Ni	Kommer att vilja
De	Hade velat	De	Ska vilja	De	Kommer att vilja

VERB MOODS					
Conditional 1		Conditional 2		Imperative	
Jag	Skulle vilja	Jag	Skulle ha velat	Jag	Vill
Du	Skulle vilja	Du	Skulle ha velat	Du	Vill
Han (m)	Skulle vilja	Han (m)	Skulle ha velat	Han (m)	Vill
Hon (f)	Skulle vilja	Hon (f)	Skulle ha velat	Hon (f)	Vill
Den/det (n)	Skulle vilja	Den/det (n)	Skulle ha velat	Den/det (n)	Vill
Vi	Skulle vilja	Vi	Skulle ha velat	Vi	Vill
Ni	Skulle vilja	Ni	Skulle ha velat	Ni	Vill
De	Skulle vilja	De	Skulle ha velat	De	Vill

To watch – att titta

Present		Preteritum		Perfekt	
Jag	Tittar	Jag	Tittade	Jag	Har tittat
Du	Tittar	Du	Tittade	Du	Har tittat
Han (m)	Tittar	Han (m)	Tittade	Han (m)	Har tittat
Hon (f)	Tittar	Hon (f)	Tittade	Hon (f)	Har tittat
Den/det (n)	Tittar	Den/det (n)	Tittade	Den/det (n)	Har tittat
Vi	Tittar	Vi	Tittade	Vi	Har tittat
Ni	Tittar	Ni	Tittade	Ni	Har tittat
De	Tittar	De	Tittade	De	Har tittat

Pluskvamperfekt		Futurum 1		Futurum 2	
Jag	Hade tittat	Jag	Ska titta	Jag	Kommer att titta
Du	Hade tittat	Du	Ska titta	Du	Kommer att titta
Han (m)	Hade tittat	Han (m)	Ska titta	Han (m)	Kommer att titta
Hon (f)	Hade tittat	Hon (f)	Ska titta	Hon (f)	Kommer att titta
Den/det (n)	Hade tittat	Den/det (n)	Ska titta	Den/det (n)	Kommer att titta
Vi	Hade tittat	Vi	Ska titta	Vi	Kommer att titta
Ni	Hade tittat	Ni	Ska titta	Ni	Kommer att titta
De	Hade tittat	De	Ska titta	De	Kommer att titta

VERB MOODS					
Conditional 1		Conditional 2		Imperative	
Jag	Skulle titta	Jag	Skulle ha tittat	Jag	Titta
Du	Skulle titta	Du	Skulle ha tittat	Du	Titta
Han (m)	Skulle titta	Han (m)	Skulle ha tittat	Han (m)	Titta
Hon (f)	Skulle titta	Hon (f)	Skulle ha tittat	Hon (f)	Titta
Den/det (n)	Skulle titta	Den/det (n)	Skulle ha tittat	Den/det (n)	Titta
Vi	Skulle titta	Vi	Skulle ha tittat	Vi	Titta
Ni	Skulle titta	Ni	Skulle ha tittat	Ni	Titta
De	Skulle titta	De	Skulle ha tittat	De	Titta

To win – att vinna

Present		Preteritum		Perfekt	
Jag	Vinner	Jag	Vann	Jag	Har vunnit
Du	Vinner	Du	Vann	Du	Har vunnit
Han (m)	Vinner	Han (m)	Vann	Han (m)	Har vunnit
Hon (f)	Vinner	Hon (f)	Vann	Hon (f)	Har vunnit
Den/det (n)	Vinner	Den/det (n)	Vann	Den/det (n)	Har vunnit
Vi	Vinner	Vi	Vann	Vi	Har vunnit
Ni	Vinner	Ni	Vann	Ni	Har vunnit
De	Vinner	De	Vann	De	Har vunnit

Pluskvamperfekt		Futurum 1		Futurum 2	
Jag	Hade vunnit	Jag	Ska vinna	Jag	Kommer att vinna
Du	Hade vunnit	Du	Ska vinna	Du	Kommer att vinna
Han (m)	Hade vunnit	Han (m)	Ska vinna	Han (m)	Kommer att vinna
Hon (f)	Hade vunnit	Hon (f)	Ska vinna	Hon (f)	Kommer att vinna
Den/det (n)	Hade vunnit	Den/det (n)	Ska vinna	Den/det (n)	Kommer att vinna
Vi	Hade vunnit	Vi	Ska vinna	Vi	Kommer att vinna
Ni	Hade vunnit	Ni	Ska vinna	Ni	Kommer att vinna
De	Hade vunnit	De	Ska vinna	De	Kommer att vinna

VERB MOODS					
Conditional 1		Conditional 2		Imperative	
Jag	Skulle vinna	Jag	Skulle ha vunnit	Jag	Vinn
Du	Skulle vinna	Du	Skulle ha vunnit	Du	Vinn
Han (m)	Skulle vinna	Han (m)	Skulle ha vunnit	Han (m)	Vinn
Hon (f)	Skulle vinna	Hon (f)	Skulle ha vunnit	Hon (f)	Vinn
Den/det (n)	Skulle vinna	Den/det (n)	Skulle ha vunnit	Den/det (n)	Vinn
Vi	Skulle vinna	Vi	Skulle ha vunnit	Vi	Vinn
Ni	Skulle vinna	Ni	Skulle ha vunnit	Ni	Vinn
De	Skulle vinna	De	Skulle ha vunnit	De	Vinn

To work – att arbeta

Present		Preteritum		Perfekt	
Jag	Arbetar	Jag	Arbetade	Jag	Har arbetat
Du	Arbetar	Du	Arbetade	Du	Har arbetat
Han (m)	Arbetar	Han (m)	Arbetade	Han (m)	Har arbetat
Hon (f)	Arbetar	Hon (f)	Arbetade	Hon (f)	Har arbetat
Den/det (n)	Arbetar	Den/det (n)	Arbetade	Den/det (n)	Har arbetat
Vi	Arbetar	Vi	Arbetade	Vi	Har arbetat
Ni	Arbetar	Ni	Arbetade	Ni	Har arbetat
De	Arbetar	De	Arbetade	De	Har arbetat

Pluskvamperfekt		Futurum 1		Futurum 2	
Jag	Hade arbetat	Jag	Ska arbeta	Jag	Kommer att arbeta
Du	Hade arbetat	Du	Ska arbeta	Du	Kommer att arbeta
Han (m)	Hade arbetat	Han (m)	Ska arbeta	Han (m)	Kommer att arbeta
Hon (f)	Hade arbetat	Hon (f)	Ska arbeta	Hon (f)	Kommer att arbeta
Den/det (n)	Hade arbetat	Den/det (n)	Ska arbeta	Den/det (n)	Kommer att arbeta
Vi	Hade arbetat	Vi	Ska arbeta	Vi	Kommer att arbeta
Ni	Hade arbetat	Ni	Ska arbeta	Ni	Kommer att arbeta
De	Hade arbetat	De	Ska arbeta	De	Kommer att arbeta

VERB MOODS					
Conditional 1		Conditional 2		Imperative	
Jag	Skulle arbeta	Jag	Skulle ha arbetat	Jag	Arbeta
Du	Skulle arbeta	Du	Skulle ha arbetat	Du	Arbeta
Han (m)	Skulle arbeta	Han (m)	Skulle ha arbetat	Han (m)	Arbeta
Hon (f)	Skulle arbeta	Hon (f)	Skulle ha arbetat	Hon (f)	Arbeta
Den/det (n)	Skulle arbeta	Den/det (n)	Skulle ha arbetat	Den/det (n)	Arbeta
Vi	Skulle arbeta	Vi	Skulle ha arbetat	Vi	Arbeta
Ni	Skulle arbeta	Ni	Skulle ha arbetat	Ni	Arbeta
De	Skulle arbeta	De	Skulle ha arbetat	De	Arbeta

To write – att skriva

Present		Preteritum		Perfekt	
Jag	Skriver	Jag	Skrev	Jag	Har skrivit
Du	Skriver	Du	Skrev	Du	Har skrivit
Han (m)	Skriver	Han (m)	Skrev	Han (m)	Har skrivit
Hon (f)	Skriver	Hon (f)	Skrev	Hon (f)	Har skrivit
Den/det (n)	Skriver	Den/det (n)	Skrev	Den/det (n)	Har skrivit
Vi	Skriver	Vi	Skrev	Vi	Har skrivit
Ni	Skriver	Ni	Skrev	Ni	Har skrivit
De	Skriver	De	Skrev	De	Har skrivit

Pluskvamperfekt		Futurum 1		Futurum 2	
Jag	Hade skrivit	Jag	Ska skriva	Jag	Kommer att skriva
Du	Hade skrivit	Du	Ska skriva	Du	Kommer att skriva
Han (m)	Hade skrivit	Han (m)	Ska skriva	Han (m)	Kommer att skriva
Hon (f)	Hade skrivit	Hon (f)	Ska skriva	Hon (f)	Kommer att skriva
Den/det (n)	Hade skrivit	Den/det (n)	Ska skriva	Den/det (n)	Kommer att skriva
Vi	Hade skrivit	Vi	Ska skriva	Vi	Kommer att skriva
Ni	Hade skrivit	Ni	Ska skriva	Ni	Kommer att skriva
De	Hade skrivit	De	Ska skriva	De	Kommer att skriva

VERB MOODS					
Conditional 1		Conditional 2		Imperative	
Jag	Skulle skriva	Jag	Skulle ha skrivit	Jag	Skriv
Du	Skulle skriva	Du	Skulle ha skrivit	Du	Skriv
Han (m)	Skulle skriva	Han (m)	Skulle ha skrivit	Han (m)	Skriv
Hon (f)	Skulle skriva	Hon (f)	Skulle ha skrivit	Hon (f)	Skriv
Den/det (n)	Skulle skriva	Den/det (n)	Skulle ha skrivit	Den/det (n)	Skriv
Vi	Skulle skriva	Vi	Skulle ha skrivit	Vi	Skriv
Ni	Skulle skriva	Ni	Skulle ha skrivit	Ni	Skriv
De	Skulle skriva	De	Skulle ha skrivit	De	Skriv

CPSIA information can be obtained
at www.ICGtesting.com
Printed in the USA
LVHW061738200919
631724LV00009B/489/P